Ursula Föhr-Campi

Europäische Landschildkröten

Europäische Landschildkröten

Praktische Erfahrungen für den Anfänger
und den fortgeschrittenen Halter

Kein speziell wissenschaftliches Buch

von Ursula Föhr-Campi

24 Farb-, 6 Schwarzweißfotos
sowie 15 Zeichnungen
und 3 Verbreitungskarten

Porto Mantovano 1997

Titelbild: Weibliche Tiere auf dem Legehügel

Alle Farbbilder: Hilda Huygens, Mantova
Zeichnungen (mit Ausnahme der Verbeitungskarten und der Gehege-Skizze):
Manfred Ecker, Waldenbruch
Schwarzweiß-Foto auf S. 14: Foto Behrbohm, Augsburg

Layout: gsh (Frankfurt/Main)
Druck: Edizioni Camaleonte, v. le Tevere, 87 Silvi Marina Italien

Im Selbstverlag der Autorin
Buchhandelsvertrieb: Bücher-Kreth GmbH(Frankfurt/Main)

ISBN 3-00-006501-6

Inhalt

Einleitung

Dieses Buch schildert unsere persönlichen Erfahrungen bei der Freilandhaltung Europäischer Landschildkröten in Oberitalien. Es soll kein spezieller Ratgeber, sondern vielmehr ein Tatsachenbericht sein, der dazu beitragen soll, diese Tiere und ihre Lebensäußerungen besser zu Verstehen.
Die wichtigste Voraussetzung bei der Pflege und Zucht von Landschildkröten ist die Kenntnis der Lebensweise in der freien Natur.

Obwohl es in Italien natürliche Schildkrötenvorkommen gibt, waren wir doch mit unseren Fragen über Futter, Winterschlaf, Aufzucht, Haltung, usw. auf uns selbst gestellt.

Was uns selbst – bestimmt auch den italienischen Staat – in Staunen versetzt hat war, daß nach der offiziellen CITES-Anmeldung in Italien im Jahre 1995, allein in unserem kleinen Landkreis über 500 Landschildkrötenhalter Tiere anmeldeten. Darunter befanden sich viele Sumpf- und Wasserschildkröten, die aus Unkenntnis für Landschildkröten gehalten wurden.

Bis vor wenigen Jahren konnte man auf vielen italienischen Märkten und in Zoohandlungen, Landschildkröten ohne CITES-Papiere oder andere Zertifikate erwerben.

Die meisten Zoohändler kannten sich weder mit den angebotenen Arten noch bei den Geschlechtern der Tiere aus.
Es ist somit nicht verwunderlich, daß es im Laufe der Zeit dadurch zu Bastardisierungen zwischen den einzelnen Arten und Rassen kam.

Viele Tiere, die hier in Oberitalien gehalten werden, wurden vor 10 bis 25 und mehr Jahren für die heute längst erwachsenen Kinder auf Märkten oder an Stränden erworben.

Auffallend ist, daß es sich meist um männliche Tiere handelt, wobei *Testudo graeca ibera* (Maurische Landschildkröte) und *Testudo hermanni boettgeri* (östliche Unterart der Griechische Landschildkröte) am häufigsten zu finden sind.

Die in Italien beheimatete westliche Unterart der Griechischen Landschildkröte (*Testudo hermanni hermanni*), ist recht selten anzutreffen und wenn, ist es in der Zwischenzeit oft zu Kreuzungen zwischen *Testudo hermanni boettgeri* und *Testudo hermanni hermanni* gekommen.

Diese Bastardierung ist leider auf die Unkenntnis der Halter zurückzuführen.

Den meisten Züchtern und Haltern ist von den Griechischen Landschildkröten nur die Art *Testudo hermanni boettgeri* bekannt.

Wir selbst pflegen sowohl Tiere *Testudo hermanni boettgeri* als auch *Testudo hermanni hermanni* aus verschiedenen Gegenden.

Bis heute sind von der Griechischen Landschildkröte nur die beiden Unterarten *Testudo hermanni hermanni* (ehem. *robertmertensi*) und *Testudo hermanni boettgeri* beschrieben.

Die westliche Unterart, *Testudo hermanni hermanni*, lebt in Spanien, Südfrankreich, auf den Balearen, Korsika, Sardinien, Sizilien und in Teilen Italiens. Die östliche Unterart, *Testudo hermanni boettgeri*, stammt hingegen von der Balkanhalbinsel.

Von den Maurischen Landschildkröten sind, im Gegensatz dazu, sieben Unterarten bekannt und beschrieben (*Testudo graeca graeca, Testudo graeca anamurensis, Testudo graeca ibera, Testudo graeca nikolskii, Testudo graeca terrestris, Testudo graeca zarudnyi, Testudo graeca whitei*)

Die Maurische Landschildkröte bewohnt die Balkanhalbinsel, das Kaukasusgebiet sowie Kleinasien (*Testudo graeca ibera, Testudo graeca whitei*), Süditalien, Sizilien, die Balearen, Südspanien und

Nordwestafrika (*Testudo graeca graeca*). Die übrigen Unterarten werden nur sehr selten in der Obhut des Menschen gepflegt (*Testudo graeca anamurensis*: Südtürkei; *Testudo graeca nikolskii*: Nordwest Kaukasus; *Testudo graeca terrestris*: Syrien, Israel und die Sinai-Halbinsel (Ägypten) und *Testudo graeca zarudnyi*: Iran. Für die Pflege dieser Unterarten der Maurischen Landschildkröte eignen sich in kühleren Zonen große Zimmerterrarien oder zu Steppenterrarien umgebaute Gewächshäuser, da diese Tiere besonders viel Wärme, vor allem Sonne benötigen. Gerade der Unterartenkomplex um *Testudo graeca* birgt noch Überraschungen, da beispielsweise in Nordafrika die Verhältnisse wie Tages- und Nachttemperaturen, Trockenheit oder Feuchtigkeit in der die Tiere leben nur mangelhaft bekannt sind.

Die dritte in Europa heimische Landschildkröte ist die Breitrandschildkröte (*Testudo marginata*). Sie lebt in Griechenland südlich des Olymps, auf einigen ägäischen Inseln und auf Sardinien.

Eine weitere, häufig importierte und gepflegte Landschildkröte ist die Vierzehen- oder Steppenschildkröte (*Agrionemys horsfieldi*).

Einzelne Autoren vertreten die Auffassung, daß diese Art auch in die Gattung *Testudo* zu stellen sei. Das Hauptverbreitungsgebiet dieser Art liegt jedoch außerhalb Europas in einigen Staaten der ehemaligen Sowjetunion, dem Iran, Afghanistan und Pakistan. Sie ist als Bewohner von Trockensteppen noch wärmebedürftiger als die drei Europäischen Landschildkrötenarten.

Bei der Beschreibung unserer Tiere geben wir die ungefähre Herkunft an, soweit wir dieses nachvollziehen konnten.

Und nun viel Spaß beim Lesen wünscht ihnen „die große Schar Landschildkröten“ aus Italien.

Testudo hermanni hermanni-Weibchen Paulin aus der Toskana

„Unsere" persönlichen Erkennungsmerkmale

Hier zuerst einige Begriffe, die wir aus Büchern, Zeitschriften, Unterlagen oder Gesprächen mit Experten gelernt und uns gemerkt haben.

Die aus dem Westen stammende Griechische Landschildkröten nennt man *Testudo hermanni hermanni*, manche nennen sie heute noch mit dem ehemaligen Namen *hermanni robertmertensi* andere nur einfach Westrasse, da sie aus Italien, Frankreich, Spanien oder dem westl. Mittelmeerraum stammen.

Besondere Merkmale: Sie hat eine kräftige Schwarzfärbung im Panzer, der Bauch (Plastron) hat zwei durchgehende schwarze Streifen, die über Brust und Schenkelschilder geht. Einige wollen die Tiere an den hellen oder weißen Krallen, andere an den gelben Wangen erkennen, was jedoch nicht einfach ist, da die Tiere je nach Lebensraum eine andere Hautfärbung annehmen können.

Die aus der Küstennähe stammenden Tiere sind in der Panzerfärbung dunkler und im Wuchs etwas kleiner als die Tiere aus dem Landesinneren, diese sind meist heller in der Panzerfärbung und auch etwas größer. Sie werden deshalb nicht selten mit *Testudo hermanni boettgeri* verwechselt und auch mit denen zusammen gehalten.

Eine weitere Unterart der Griechischen Landschildkröte nennt man *Testudo hermanni boettgeri*, mancher nennt sie nur Ostrasse, da sie vom östlichen Mittelmeer und den Balkanländern stammt.

Besondere Merkmale: Der Bauch (Plastron) hat unterbrochene schwarze Streifen, oft nur eine geringe Schwarzfärbung, manche Tiere haben nur zwei oder drei große Punkte. Einige wollen sie auch an den schwarzen Krallen erkennen. Beide Arten haben einen Hornnagel an der Schwanzendung.

Testudo graeca hat keinen Hornnagel an der Schwanzendung, jedoch je nach Unterart zwei helle oder dunkle Warzen an den Schenkelpartien.

Testudo marginata besitzt weder Warzen noch einen Hornnagel, hat jedoch einen schwarzen Strich auf dem Schwanzoberteil.
Hier stellen wir, zum besseren Verständnis namentlich unsere adulten und semiadulten Tiere vor.

Zuerst unsere *Testudo graeca ibera* (**siehe Seite 65**)
Mina und Rambo
Kreuzung zwischen *Testudo graeca ibera* und *Testudo marginata*:
Dick und Doof (**siehe Seite 68**)

dann unsere *Testudo hermanni boettgeri* aus Kalabrien
Rudi und Berta (**siehe Seiten 69, 85**)
und die vom Balkan
Peter, Paul und Fritz (siehe Seite 72, 80)
Chiara, Wilma, Nera und Timida (siehe Seite 72)

Unsere Westrasse, *Testudo hermanni hermanni* (ehem. *robertmertensi*)
Paulin, Alma, Sardi und Zoppa (siehe Seite 72)
Fido und Fede (ohne Abbildung)

Unsere Marginatababys (**siehe Seite 73**)
Hänsel und Gretel, 3 Jahre alt

In der ganzjährigen Freilandanlage

Im Jahre 1991 erhielten wir unsere ersten sechs Landschildkröten. Damals wußten wir von Schildkröten nur, daß sie alt werden können, einen harten Panzer haben, recht friedliche Tiere sind, nicht beißen, nicht bellen, eigentlich überhaupt keinen Krach machen.

Leider fanden wir in den vielen Büchern über Landschildkröten wenig, was gerade uns als Anfängern geholfen hätte. Wir mußten selbst beobachten und mit anderen Schildkrötenhaltern in Kontakt treten, um unseren Schildkröten eine möglichst gute Pflege bieten zu können. Wer jedoch seine Tiere aufmerksam beobachtet, lernt schnell auch aus den Fehlern die mangels Erfahrung immer wieder gemacht werden.

Meister sind wir noch lange keine, wollen wir auch nicht sein, wir lieben unsere Tiere und möchten, daß es ihnen bei uns gut geht.

Wir wollen besonders allen neuen Landschildkröten-Haltern durch unsere Beschreibung eine kleine Hilfe geben, noch bessere Bedingungen für die vorhandenen großen und kleinen Exemplare zu schaffen. Darüber hinaus wollen wir aufzeigen, daß es durch die Zucht von Landschildkröten heute nicht mehr nötig ist, Tiere aus der Wildnis zu entnehmen, was ohnehin in der Europäischen Union verboten ist.

Wir wollen ermuntern, nicht nur einzelne Tiere zu pflegen, sondern mit mehreren Tieren Zuchtgruppen aufzubauen und Zuchterfolge zu erzielen, um diesen vom Aussterben bedrohten Tieren eine Überlebenschance, zumindest in der Gefangenschaft, zu geben.

Wir haben festgehalten, was wir mit unseren Tieren in den letzten Jahren erlebten, um all denen zu helfen, die erst kurze Zeit eine Landschildkröte besitzen und vielleicht heute dieselben Fragen haben, wie wir zu Beginn.

Europäische Landschildkröten gehören zumindest im Sommer ins Freiland. Wer ihnen keinen Garten bieten kann, sollte aus Tierliebe auf diese Tiere verzichten.

Rambo in seinem Habitat (der Natur nachempfunden)

Erste Begegnung

Seit einigen Jahren wohnen wir in Oberitalien (südlich des Gardasees). Bekannte hielten dort in einem kleinen Garten sechs Landschildkröten, die sich aus Platz- und Sonnenmangel ständig zum Sonnen auf der Terrasse aufhielten und dabei auch Kot absetzten. Wir wurden gefragt, ob wir nicht Interesse hätten, diese Tiere in unserem großen Garten (1.400 qm) anzusiedeln. Die Tiere würden keinen Krach und keine Mühe machen.

So oft wir diese Tiere sahen, taten sie uns leid. Ein Tier hatte es mir besonders angetan, es war kleiner als die anderen, es wurde ständig vom größten Tier mit kräftigen Rammstößen gegen die harte Mauer gestoßen. Meine Tierliebe hielt das nicht aus! Mein Mann war ebenso dafür, daß die Tiere recht bald bei uns eine neue sonnige Heimat finden sollten.

Der Umzug

Bei einem unserer Besuche im Herbst 1990 suchte ich die Schildkröten vergebens. Der Halter erklärte mir, daß sie sich schon für den Winterschlaf eingegraben hätten. Es war Anfang Oktober. Heute ist mir klar, warum sich die Tiere so früh für den Winterschlaf eingegraben hatten. Das Gehege, in dem sie gehalten wurden, war sehr schattig, und so war es zu der Zeit für die Tiere schon recht kalt. Sonne gab es jedenfalls zu dieser Jahreszeit dort nicht mehr. Die Tier hatten sich in den feuchten, harten Boden unter der Hecke eingegraben, eine Hütte oder Laub zum Schutz gab es nicht. Nun heißt es warten, bis das Frühjahr kommt. In den ersten Februartagen 1991 begannen wir mit den Vorbereitungen für die Übersiedlung der Schildkröten in unseren Garten. Der Umzug der Tiere sollte sofort nach dem Winterschlaf erfolgen. Als wir Anfang März den Anruf erhielten, daß die eine oder andere Schildkröte schon den Kopf aus der Erde streckte, war es soweit. Wir gruben alle aus und brachten sie in einer mit Moos gefüllten Kiste in unseren Garten. Der Umzug dauert keine 20 Minuten.

Die Prachtexemplare hatten nun viel, ja sehr viel Sonne und mehr Platz. Nachdem sie sich sofort bei uns in die Sonne setzen konnten, dauerte es nur noch kurze Zeit und sie begannen sich, noch recht steif, zu bewegen.

Mein Mann baute eine große Holzhütte zum Schutz gegen die pralle Sonne, Regen, Hagel und vor allem für die Nacht. Eines

Holzhütte und Bewohner

konnten wir nicht verstehen, die Tiere hatten nun viel Platz und trotzdem hörten die ständigen Streitereien untereinander nicht auf. Vor den ersten Frühlingsgewittern war es besonders schlimm. Sie trugen bösartige Kämpfe aus. Wir standen am Gehege und beschlossen, die Tiere zu ihrem eigenen Schutz zu trennen. Nach unseren Beobachtungen müßte jedes für sich gehalten werden – egal wer mit wem zusammen ist, es wurde gerauft.

War bei unseren Schildkröten schon Paarungszeit? Wir wußten es nicht. Sie benahmen sich jedoch genau so, wie dies in dem kleinen Buch, das wir als Hilfe aus Deutschland erhalten hatten, unter „Paarung" beschrieben war. Sie beißen das Weibchen in die Beine und sitzen dann auf. Wer war nun bei uns ein Weibchen und wer ein Männchen? Wir wußten es zu dieser Zeit nicht.

Anfang Mai 1991 brachte man uns noch zwei Tiere. Eines davon hat einen fast schwarzen Panzer, das andere dagegen ist hell, fast gelb.

Beide lebten zusammen, bis der Halter in ein Stadtwohnung ziehen mußte.

Nun sollten die beiden bei uns bleiben. Wir wußten mittlerweile, daß man fremde Tiere nicht sofort mit eigenen Tieren zusammenbringen sollte. Für mindestens 6 Wochen sollten Neuzugänge von den übrigen Schildkröten getrennt leben. Aus diesem Grunde verbrachten die beiden zuerst einen halben Tag in einem großen Karton, denn es muß ein Maschendraht, als Umzäunung ihres neuen Geheges gezogen werden. Am Späten Vormittag konnten sie ihr neues, eigenes Gehege beziehen.

Kurz nachdem unsere eingewöhnten Tiere die Neuankömmlinge erspäht hatten, lief das größte unserer Tiere am Zaun auf und ab.

Es unterbrach diesen Lauf nur, um mit kräftigen Rammstößen den Zaun zu bearbeiten. Zunächst lachten wir über dieses seltsame

Verhalten und dachten, daß es sich um Rivalität gegenüber den Neuen handelt.

Zufällig schaute gerade zu diesem Zeitpunkt ein Bekannter bei uns vorbei. Wir zeigten ihm unsere Tiere und sprachen über das seltsame Verhalten. Er erzählte uns, daß Landschildkröten schon das Hobby seines Vaters waren und er von ihm nicht nur die Schildkröten sondern auch die Leidenschaft für die Tiere übernommen habe.

Er sah sich unsere sechs Tiere etwas genauer an und stellte fest, daß es sich um männliche Schildkröten handelt. Dagegen sind die beiden neuen Tiere weiblichen Geschlechts. Das größte unserer Schildkrötenmännchen hatte es innerhalb kurzer Zeit geschafft mit seinen Stößen, den Zaun zu durchbrechen, alle anderen strömten mit ihm sofort auf die Neuen zu.

Es wurde noch aggressiver und wilder gebissen als bisher. Die Neuen versuchten zu flüchten, trafen aber an jeder Ecke auf ein Männchen.

Wir verschlossen das Loch im Zaun durch Bretter, was die Männchen jedoch dazu veranlaßte, es mit Kletterversuchen zu pro-

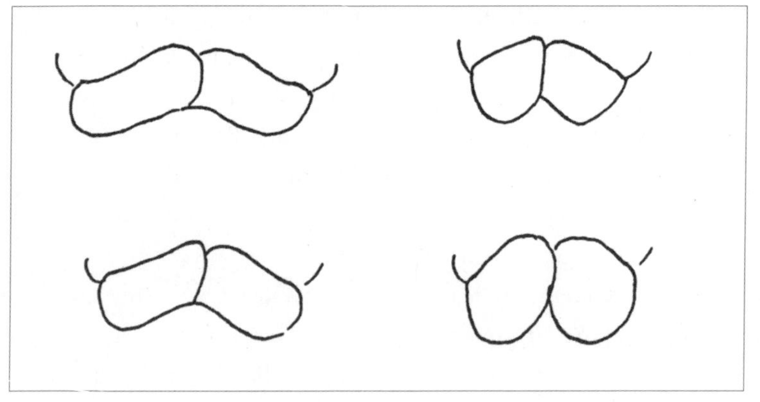

Endungen der Plastra: links männlich, rechts weiblich

bieren. Rambo, unser *Testudo graeca ibera*-Männchen verlor dabei sogar eine Kralle. Dieser Unfall regte uns zum Nachdenken an.

Wie verhindert man bei solchen Kletterversuchen Verletzungen? Wir wußten ja noch nicht, daß Schildkröten, unabhängig von Alter und Größe, so gerne klettern. Wir stellten uns die Frage: Wie verhindert man, daß Tiere bei diesen Kletterversuchen auf den Rücken fallen, sich nicht mehr selbständig umdrehen können, so gnadenlos der Sonne ausgeliefert sind, eventuell an Überhitzung sterben?

Eines stand nun fest: Der Zaun mußte weg. Er wurde durch eine wetterfeste, dauerhafte und blickdichte Einfriedung ersetzt. Wir entschieden uns für einer Mauer.

Anleitung für Bastler: Wir gruben dazu eine ca. 10 cm breite Rinne (1 Spatenstich) in die Erde, als kleines Fundament. Diese Rinne füllten wir mit einem Kies-Zementgemisch. Nachdem der Untergrund glatt und fest war, stellten wir die Hohlblocksteine in der Größe 50 x 12 x 20 cm versetzt, immer 2 Steine aufeinander, wir füllen die Steine mit Zement und Sand aus.

Die Schildkröten können, durch eine Mauer getrennt, nicht mehr in die anderen Gehege sehen. Ob sie dadurch die anderen Tier auch nicht mehr riechen können, ist jedoch fraglich. Zumindest hörten nun die ständigen Ausbruchsversuche auf. Die Tiere sehen, wo das Gehege zu Ende ist. Vor allem im Herbst, Frühjahr und am frühen Morgen, sitzen die Schildkröten in einer Mauerecke, da diese gegen Wind schützt und gleichzeitig die Sonnenwärme speichert. Kurze Zeit später tauschten wir mit unserem Bekannte eines unserer männlichen Tiere gegen ein weibliches. Bei dem Männchen, das wir tauschten, handelt es sich um eine recht seltene Unterart der *Testudo graeca* (*Testudo graeca whitei*), er wird nun zusammen mit zwei adulten Weibchen als Zuchtgruppe gehalten.

Das neue Tier war schon erwachsen und stammt aus der Toskana (*Testudo hermanni hermanni*, ehem. *robertmertensi*), es wurde vor mehr als 10 Jahren, als Jungtier, von einem dortigen Urlaub mitgebracht. Da wir noch kein passendes Männchen dazu hatten, mußte Paulin, wie wir sie nennen, noch eine Weile allein leben.

Wir haben jedoch noch so manches Problem zu lösen.

Ein Tier hat im Gegensatz zu den anderen keinen Hornnagel, es wird von den anderen Männchen ständig bestiegen, wehrt sich dagegen jedoch kräftig.

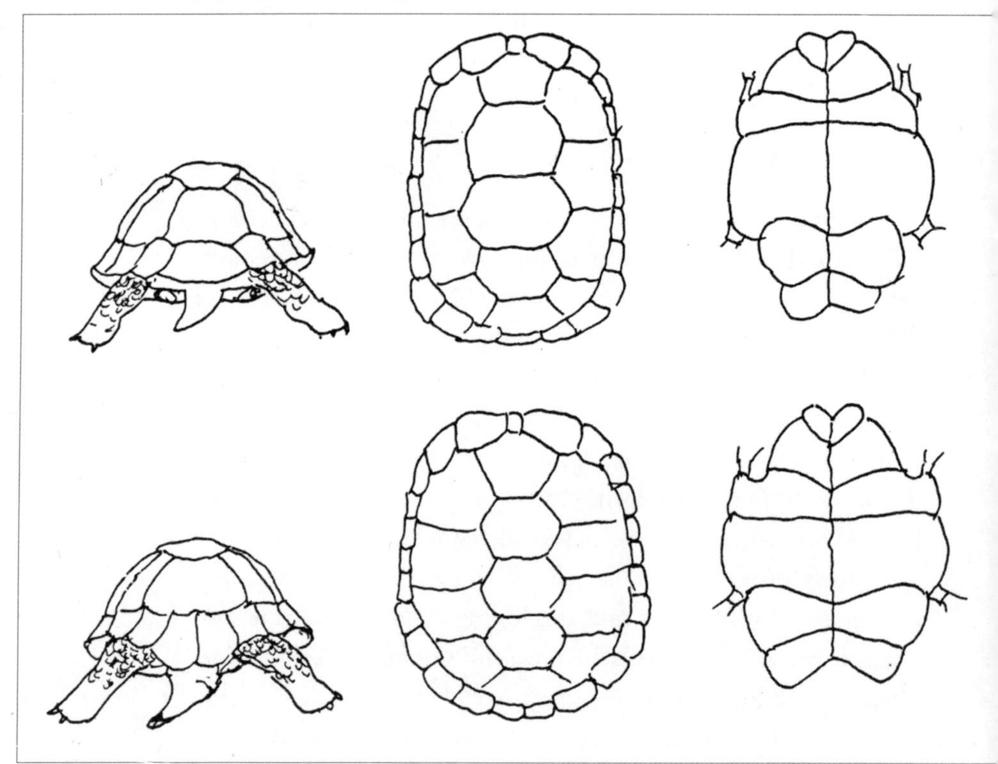

oben: Maurische Landschildkröte (ohne Hornnagel); unten: Griechische Landschildkröte (mit Hornagel)

Wir dachten, da der Hornnagel fehlt, daß es sich um ein weibliches Tier handelt. Bei dem Tier ohne Hornnagel stelle ich eines Tages eine leichte Verletzung am Schwanzende fest. Diese Verletzung haben ihm die *Testudo hermanni boettgeri*-Männchen bei den Kopulationsversuchen (aufsitzen) mit dem recht kräftigen Hornnagel beigebracht. Diese leicht blutende Verletzung bedeutete für uns: Wir bauen an!

Rambo hatte etwas gegen die Kopulation, denn er ist ein *Testudo graeca ibera*-Männchen!

Alle unsere Tiere werden mit einem Namen versehen. Jedes weitere hinzukommende Tier erhält sofort einen Namen, damit wir selbst die Tiere besser erkennen und Unterscheiden können.

Wir tauschen mit unserem Bekannten noch eines von unseren wilden männlichen *Testudo hermanni boettgeri*-Männchen, dürfen uns aus seinem Gehege ein kleines „weibliches" *Testudo hermanni boettgeri*-Exemplar aussuchen. Noch macht uns die Geschlechtsbestimmung große Schwierigkeiten, vor allem bei **Jungtieren** ist es nicht so einfach. So nennen wir das neue Tier Frieda – stellen jedoch recht schnell fest, daß wir uns getäuscht haben und es sich um ein männliches Tier handelt. Er wird umbenannt und heißt nun Fido.

Bei unseren Tieren Peter und Paul sind wir zwar sicher, daß es Männchen sind. Wir zweifeln jedoch noch, ob es *Testudo hermanni boettgeri* sind.

Im Mai beobachten wir Nera, eines unserer *Testudo hermanni boettgeri*-Weibchen, wie sie aufgeregt im Gehege auf und ab läuft und erleben zum ersten Mal wie eine Schildkröte mit den Hinterbeinen mühevoll, jedoch gekonnt ein Loch in den harten Boden gräbt und darin ihre Eier ablegt. Etwa zwei bis drei Tage vor der Eiablage laufen die Weibchen unruhig durch das Gehege und prüfen mit der Nase an einigen Stellen den Boden – vermutlich um die Temperatur und die Bodenfeuchte zu ermitteln.

Ein weiteres deutliches Zeichen für eine bevorstehende Eiablage ist das Verhalten der hochträchtigen Weibchen gegenüber ihren Geschlechtsgenossen. Wenige Tage vor der Eiablage kann man häufig beobachten, daß die trächtigen Weibchen bei anderen Weibchen aufreiten.

Das Verhalten ähnelt den Paarungsversuchen der Männchen. Ist ein geeigneter Platz gefunden, wird oft bis zum Abend gewartet, ehe mit der Eiablage begonnen wird. Das Weibchen gräbt mit den Hinterbeinen eine Eihöhle in die Erde. Während die Eier ausgepreßt werden, sind oft schnaufende Geräusche zu hören. Das Tier zieht den Kopf zuerst tief ein, dann streckt es ihn wieder aus, um tief Luft zu holen und weiter zu pressen.

Wir waren nach der Eiablage sehr gespannt.

Oktober. Die Eier lagen noch immer in der Erde. Vorsichtig gruben wir sie aus, legten sie – ohne zu drehen – in ein Plastikkörbchen mit Sand, stellten das Ganze in den Heizraum, wo es warm und dunkel ist. Noch wußten wir nichts von einem Brutapparat oder unbefruchteten Eiern.

Bis Mitte November war noch immer nichts geschlüpft, da habe ich die Eier geöffnet. Der Inhalt sah aus wie bei einem Hühnerei.

Leider waren die Eier im Jahre 1991 nicht befruchtet, da die weiblichen Tiere bis zum Eintreffen bei uns ohne männliche Artgenossen gelebt hatten und somit in den letzten Jahren keine Befruchtung stattgefunden hatte.

Mittlerweile wissen wir, daß die Eier während des Winters, – egal, ob befruchtet oder unbefruchtet – in den Weibchen reifen. Aus diesem Grund ist die Winterruhe für die Tiere sehr wichtig. Wir lernen noch, daß eierlegende Weibchen bis zu vier Jahre nach der letzten Kopulation befruchtete Eier ablegen können, ohne daß sie in der Zwischenzeit erneuten Kontakt mit männlichen Tieren haben.

Ab Mitte Oktober fressen unsere Tiere weniger, sie sitzen jedoch bei jedem Sonnenstrahl vor der Hütte oder an der Mauer, um Sonne zu tanken. Sie haben dafür eine besondere Methode, sie stehen entweder mit den Vorderbeinen hoch oder schräg mit einem Vorder- und einem Hinterbein an der Mauer, ein Tier neben dem anderen.

Rambo, unser *Testudo graeca ibera*-Männchen, ist das abgehärtetste von allen Tieren. Bis Ende November ist er draußen. Erst als es neblig kalt wird, verschwindet auch er, um sich in der Hütte einzugraben. Nun sind die Tiere in den Hütten. Ob die Hütten wohl als Schutz gegen Kälte und Nässe für den Winter reichen? Mit trockenem Laub fülle ich alle Hütten auf. Zur Vorsorge stelle ich noch einen Karton Laub in die Garage. So kann ich jederzeit das naßgewordene gegen trockenes austauschen. Nun war mir bedeutend wohler.

Die Winter in Oberitalien sind kürzer und milder als in Deutschland. Wer auch in Deutschland seine Europäischen Landschildkröten im Freien überwintern lassen möchte, sollte sich vorher genau erkundigen, wie diese Behausung sein sollte, damit kein Tier im Winter erfriert.

Besser mehrere erfahrene Experten befragen, oder sich bei der DGHT (Deutsche Gesellschaft für Herpetologie und Terrarienkunde) Rat holen. Die DGHT bietet Landschildkrötenhaltern die Möglichkeit sich bei den jeweiligen Stadtgruppen ganzjährig zu informieren.

Bis Weihnachten gibt es meist keine Nachtfröste, oft holen wir zu Weihnachten die letzten Rosenknospen ins Haus. Danach kann es jedoch sein, daß wir für einen Monat keine Sonne sehen. Es ist neblig kalt, mit Reif und kalten Winden. Erscheint jedoch gegen Ende Januar die Sonne, klettert das Thermometer schnell auf 15–20 °C und recht bald liegt der erste Frühlingsduft in der Luft. Die nachfolgende Tabelle zeigt unsere Temperaturen von Januar bis Dezember:

Unserer Temperaturen von Januar bis Dezember

	Tagestemperatur	Nachttemperatur
Januar	ca. - 1 ° bis + 12 °C	ca. - 4 ° bis + 6 °C
Februar	ca. + 5 ° bis + 15 °C	ca. + 2 ° bis + 10 °C
März	ca. + 12 ° bis + 20 °C	ca. + 8 ° bis + 15 °C
April	ca. + 15 ° bis + 25 °C	ca. + 12 ° bis + 18 °C
Mai	ca. + 18 ° bis + 28 °C	ca. + 15 ° bis + 22 °C
Juni	ca. + 25 ° bis + 30 °C	ca. + 20 ° bis + 26 °C
Juli	ca. + 30 ° bis + 37 °C	ca. + 26 ° bis + 32 °C
August	ca. + 33 ° bis + 42 °C	ca. + 28 ° bis + 36 °C
September	ca. + 25 ° bis + 34 °C	ca. + 23 ° bis + 26 °C
Oktober	ca. + 18 ° bis + 25 °C	ca. + 12 ° bis + 15 °C
November	ca. + 8 ° bis + 15 °C	ca. + 5 ° bis + 10 °C
Dezember	ca. + 1 ° bis + 12 °C	ca. - 3 ° bis + 8 °C

Auch bei uns können die Temperaturen in manchen Wintern für mehrere Tage bis zu –10 °C betragen. Nicht jeden Winter gibt es 30 bis 50 cm Schnee; und wenn, bleibt er nur für wenige Tage. Mit den ersten Sonnenstrahlen im März 1992 erscheinen die Schildkröten wieder, manche schon Ende Februar, zwar noch etwas steif und verschlafen, aber alle gesund und munter. Die Nachttemperaturen liegen bei 10–15 °C. An einem warmen Frühlingstag im März, möglichst ohne Wind, wird die Badewanne mit lauwarmem Wasser gerichtet. Eine Schildkröte nach der anderen wird hinein gesetzt, manche trinken zuerst in langen Zügen. Zuerst dachte ich, sie ertrinken, nun weiß ich, daß Schildkröten das Wasser durch die Nase aufnehmen, deshalb den Kopf ins Wasser legen. Mit einer kleinen Handbürste werden die Panzer etwas geschrubbt. Während des Bades kann man die Tiere in Ruhe genauer betrachten und auf Verletzungen, oder Parasiten (Milben, Zecken) untersuchen. Ein warmes Bad löst nicht nur die oft angetrocknete Erde oder Sand, es regt auch den Appetit an. Wer sauber ist, darf wieder ins Gehege zurück. Meist geht es nach dem Baden sofort ins Kleefeld oder zum Löwenzahn. Manche setzen sich noch einige Zeit in die Sonne, um sich aufzuwärmen.

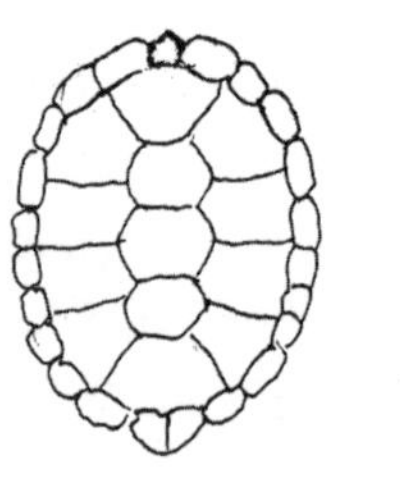

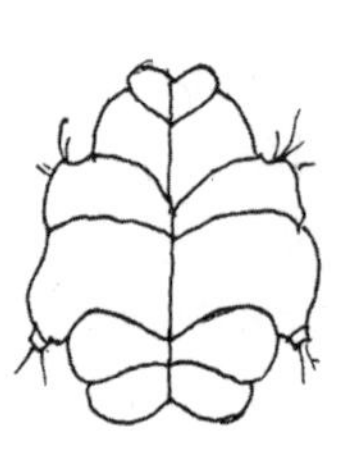

Testudo hermanni

Carapax und Plastron

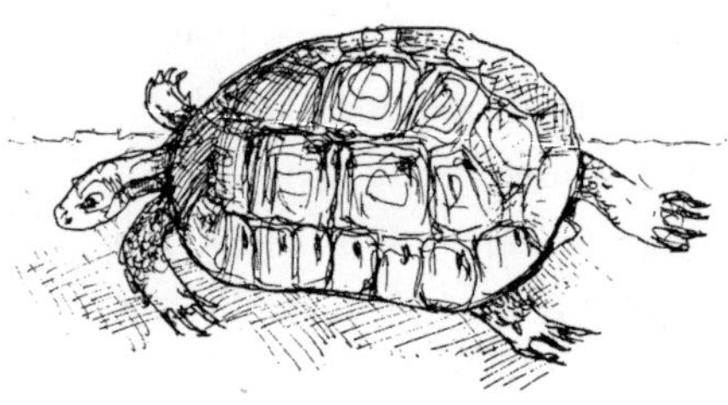

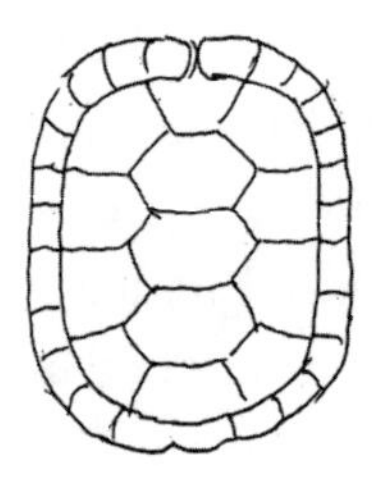

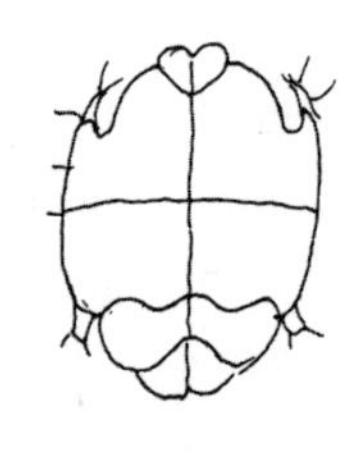

Testudo graeca

Carapax und Plastron

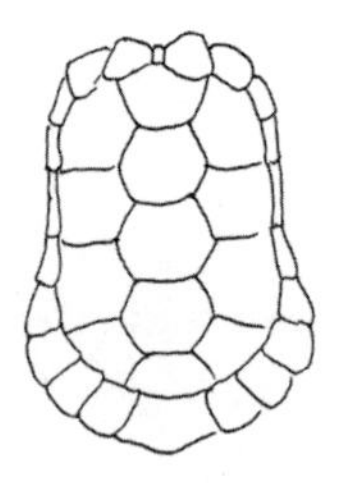

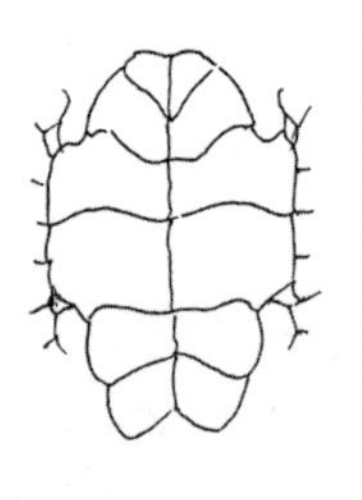

Testudo marginata

Carapax und Plastron

Welche Rasse?

Wir waren während des Winters nicht untätig. Wir haben Informationen gesammelt, um die Arten, zu denen unsere Tiere gehören, zu bestimmen. Die lateinischen Namen sind uns noch immer recht ungewohnt. Diese Namen, sagen wir uns, sind etwas für echte Experten und Spezialisten. Wir werden das nie lernen. Doch wir haben es schneller gelernt als gedacht!

Vor allem interessiert uns, anhand welcher Merkmale man die unterschiedlichen Arten und Unterarten unterscheiden kann. Wir beginnen unsere Tiere regelrecht zu untersuchen. Manchmal muß sogar die Schublehre herhalten, um alles ganz genau zu erkennen.

Peter, Paul und Fritz wurden bestimmt irgendwann, wie viele andere Tiere, aus dem benachbarten Jugoslawien von einem Urlaub mitgebracht. Eines steht nun fest: Sie gehören zur östlichen Unterart der Griechischen Landschildkröte (*Testudo hermanni boettgeri*), obwohl bei Peter und Paul der Bauch (Plastron) total schwarz ist und einer der beiden ein geteiltes Schwanzschild hat der andere nicht. Auch Fido, Nera und Chiara sind echte *Testudo hermanni boettgeri.* Wir stellen fest, daß bei *Testudo hermanni hermanni* im Gegensatz zu den *Testudo hermanni boettgeri* einige Schilder des Bauchpanzers verschieden sind. Bei manchen Tieren sieht man es recht deutlich, oft reicht jedoch das bloße Auge kaum aus. Bei Paulin war das obere Brustschild ganz schmal, unten jedoch breit. Bei Chiara und Nera dagegen umgekehrt, oben breiter und unten schmäler. Daß dies ein Hinweis auf die jeweilige Unterart ist, bestätigt uns ein Jahr später ein Experte aus Deutschland.

Grundsätzlich lassen sich die drei Europäischen Landschildkrötenarten anhand folgender Merkmale sicher unterscheiden.

1. Über der Schwanzwurzel befindet sich in der Regel ein geteiltes Schwanzschild; der Schwanz endet immer in einem deutlichen Endnagel: (*Testudo hermanni*)
2. Rückenpanzer von oben oval oder eiförmig, Rückseite der Oberschenkel mit deutlichen Höckerschuppen: (*Testudo graeca*)
3. Rückenpanzer von oben auffällig langgestreckt; die Oberseite des Schwanzes hat einen schwarzen Strich: (*Testudo marginata*)

Der Unterschied der einzelnen Unterarten ist hingegen weitaus schwieriger und stützt sich überwiegend auf Unterschiede in der Färbung, Körpergröße und Beschilderung des Panzers.

Die Geschlechter lassen sich bei den adulten Europäischen *Testudo*-Arten an den konkaven (vertieften) Bauchpanzern der Männchen, im Gegensatz zu den planen (glatten) Plastra der Weibchen unterscheiden. Darüber hinaus haben die Männchen deutlich längere Schwänze als die Weibchen. Die Tiere paaren sich – läßt man sie ständig zusammen – den ganzen Sommer über. Das Weibchen wird verfolgt, wobei das Männchen versucht es in die Hinter-

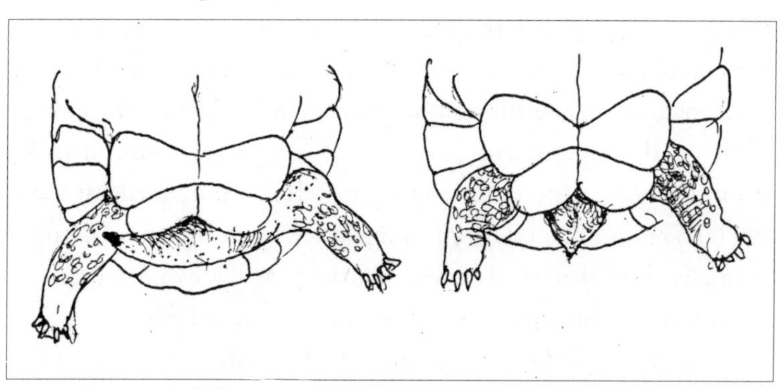

männlich weiblich

beine zu beißen. Wenn die Männchen zu aufdringlich werden, werfen die Weibchen diese gelegentlich auf den Rücken.

Die Balz wird von hörbaren, seitlichen Rammstößen der Männchen begleitet. Vor der eigentlichen Kopulation umlaufen die Männchen mit weit ausgestrecktem Hals und mit nickenden Bewegungen des Kopfes die Weibchen mehrfach. Das aufreitende Männchen öffnet während der Paarung das Maul und stößt piepsende Laute aus.

Um den werbenden Männchen auszuweichen, verstecken sich die Weibchen im hohen Gras oder in der Schutzhütte. Sie trauen sich nicht oder nur noch selten ans Futter, da sie sofort wieder von den werbenden Männchen belästigt werden. Aus diesem Grunde leben bei uns Weibchen und Männchen getrennt, so daß die Weibchen ungestört fressen können. Auch während der Eiablage ist es vorteilhaft, die Männchen zu separieren, um den Weibchen eine ungestörte Eiablage zu ermöglichen.

Wir lassen Weibchen und Männchen nun erst nach der 3. Eiablage für höchstens 4–6 Tage im Jahr zusammen.

Paulin hat, wie man uns sagte, noch nie Eier abgelegt. Sie ist erst seit dem Sommer 1991 bei uns, als sie im folgenden Mai fünf Eier ablegt. Jeden Abend, wenn wir nach Hause kommen, kontrollieren wir das ganze Gehege, vielleicht entdecken wir auch, wo Chiara und Nera abgelegt haben. Wer jedoch schon erlebt hat, wie gekonnt, vor allem wie gut getarnt, Schildkröten ihr Gelege verlassen, weiß, es ist wie das Suchen im Heuhaufen. Wir finden nichts.

Heute (1996) sind wir schon etwas schlauer, zur Lockerung der Erde geben wir zuerst Torf oder dunklere Erde ins Gehege, darauf hellen Sand dann wieder Erde. Ist der Sand oder Torf, oben, wissen wir: Hier ist ein Gelege! Besonders in einem Gehege wie unserem, wo alles mit Gras, Löwenzahn, Klee, Feldsalat und Rucola bewachsen ist, wird das Suchen sehr erschwert. Der Sommer ist sehr heiß (bis 43 °C) und er geht mit viel Arbeit nun langsam zu Ende. Nur ein kurzes Gewitter in den letzten Augusttagen hat eine leichte Abkühlung gebracht. Die Erde ist völlig ausgetrocknet und hart, obwohl ich jeden Abend für einige Minuten das gesamte Gehege mit Wasser besprühe. Am anderen Morgen ist alles trocken und wieder hart.

In den ersten Tagen im September bringe ich meinen Schildkröten am Morgen frische Feigen vom Baum und einige Melonenstücke.

Wir hatten in der Nacht ein Gewitter mit nur wenigen Tropfen Regen, Gras und Erde sind gegen 8 Uhr schon wieder völlig trocken.

Zuerst denke ich an einen Spuk, im Gehege geht ein „dreckiger“ Pfirsichkern mit Füßen spazieren. Ich war außer mir vor Freude und rufe meinen Mann.

Wo kommt dieser kleine Kerl nur her? Wir sehen nichts! Keine Anzeichen oder ein Loch in der Erde. Nichts!

Der Wasserschlauch muß jetzt her, denn die Erde ist, trotz des kurzen nächtlichen Gewitters mit nur wenigen Minuten Regen, immer noch total ausgetrocknet. Wir bewässern nun kräftig das gesamte Gehege. Vor allem am Rand, er ist von den vielen Spaziergängen der Schildkröten fest getreten.

Wer schon auf einem Feld oder einer Wiese erlebt hat, wie ein Maulwurf anfängt zu stoßen, genau dasselbe Bild, nur kleiner, so schlüpfen Schildkröten in der Natur. Kaum draußen, geht’s schon unter den nächsten Grasbusch zum Schutz, etwas ausruhen, Sonne tanken, danach auf Futtersuche.

Die meisten Jungtiere schlüpfen entweder morgens nach Sonnenaufgang oder abends wenn es etwas kühler ist. Besonders schnell geht’s nach einem Gewitter mit kräftigem Niederschlag.

Ist der Niederschlag allzu kräftig, kann es auch vorkommen, daß die Tiere unter der Erde ertrinken. Ein Tier nach dem anderen schlüpft so durch die Erde, wir selbst helfen noch etwas nach, in dem wir die Erde mit den bloßen Händen vorsichtig abgraben. Noch sechs kleine Schildkröten kommen so an die Erdoberfläche. Hurra! Wir sind glücklich, daß wir aus reinem Zufall unseren ersten Nachwuchs erhalten haben. Sieben kräftige kleine Schildkröten zähle ich nun in eine große Holzkiste, die mit Klee, Löwenzahn und Moos gepolstert ist.

Da ich genau weiß, wo die Eier von Paulin liegen, beginne ich vorsichtig zu graben, um nachzusehen, warum trotz Wasserguß nichts schlüpft. Zwei der Eier haben einen kleinen Riß und eine Beule. Im Kalender habe ich mir das Legedatum vermerkt, es sind seit dem 95 Tage vergangen. Sehr vorsichtig nehmen wir die Eier aus der Erde, spüren jedoch, daß die Kleinen in ihren Eiern zu schwach sind, um die harte Schale zu öffnen.

Wir helfen behutsam nach. In jedem Ei sitzt eine kleine Schildkröte mit einem riesigen Dottersack am Bauch!

Was nun? – Heute weiß ich, daß man nur das Ei öffnet und den Kleinen im Ei sitzen läßt, bis er selbst (das kann jedoch 2 Tage und länger dauern) das Ei selbst verläßt. – Großes Rätselraten. Wie verhält man sich in so einem Fall? In den Büchern steht nur, wie die Tiere normal schlüpfen.

Ich nehme eine Plastikschale, lege sie mit Papierhandtüchern aus und setze die beiden nun hinein. Laufen können sie nicht, der Dottersack ist so groß, daß sie mit den Hinterbeine nicht auf den Boden kommen.

Nachdem die beiden mit dem feuchten Dottersack am Papier festkleben, befeuchte ich das Papier, so können sie sich wenigstens um die eigene Achse drehen. Wie sich herausstellt, habe ich instinktiv das Richtige getan. Es war – welch ein Glück – Donnerstag, in dem schlauen Schildkrötenbuch – das einzige informative Schildkrötenbuch, das wir zu der Zeit besitzen - steht, daß der Tierarzt heute, Donnerstag, in Deutschland Sprechstunde hat! Mir war alles egal, die beiden leben, irgendwer muß sich doch auskennen und mir sagen, wie ich mich in so einem Fall weiter verhalten muß. Nur wer schon einmal so kleine Kerlchen in der Hand hatte, weiß, daß man alles, wirklich alles unternimmt, um sie am Leben zu erhalten.

Der Doktor hat wirklich große Geduld mit einem Anfänger wie mir und erklärte am Telefon, es könnte auch sein, daß der Dottersack noch abreißt. In manchen Fällen hätten dies die Tiere schon überlebt. Es darf jedoch kein Schmutz in die eventuell entstehende Wunde gelangen.

Er gibt mir den Rat, nicht nur die beiden, sondern alle frisch geschlüpften Jungtiere, nur für den ersten Winter, im Haus zu behalten und zu füttern. Man weiß schließlich nie, wie kalt der Winter wird und wie lange er – auch in Italien – dauert. Vor allem sind die Kleinen bis zum Frühjahr schon gewachsen, nehmen über den Sommer noch mehr zu und überstehen so den zweiten Winter mit Winterschlaf viel besser. Es war immerhin schon September.

Beide hatten ein Geburtsgewicht von 4 Gramm, daß sie lebensfähig sind, erstaunt uns selbst, noch haben wir mit Jungtieren keinerlei Erfahrung, was sich aber schnell ändert. Die anderen drei Eier von Paulin sind nicht befruchtet. Nach zwei Tagen beginnen sie, den angebotenen Klee zu fressen. Geschafft!

Nach einigen Tagen, nachdem der Dottersack vollkommen eingezogen ist, werden auch die beiden Winzlinge zu den anderen sieben Jungtieren gesetzt, wo sie sich, von der ersten Stunde an, gegen die etwas größeren Jungtiere kräftig durchsetzen! Wir haben nun 9 Jungtiere.

Ihr Lieblingsspiel ist verstecken und klettern. Tagsüber werden die kleinen Schildkröten in einem Gitterkäfig gepflegt, der auf unsere Wiese gestellt wird. Durch das Gitter können sie die Pflanzen der Wiese abweiden, ohne sich jedoch eingraben zu können. Als Zusatznahrung bekommen sie täglich feingehackten Feldsalat, Klee, Löwenzahn und zweimal die Woche feingehackte Tomaten. Ein Marmeladenglasdeckel ist die Tränke, die ab und zu auch als Badewanne benutzt wird. Ein Metallgitter schützt gegen ungebetene Gäste, ein kleines Holzbrett, das einen Teil des Miniterrariums bedeckt, gegen die noch heiße Sonne. Die Tiere dürfen nicht ohne Schutz, oder Schattenplatz, der prallen Sonne ausgesetzt sein. Sie müssen jederzeit die Möglichkeit haben, sich an einem schattigen Platz auszuruhen. Wir stellen dafür eine Schuhschachtel mit Eingang in die Kiste. Sie dient gleichzeitig als Schattenplatz und Versteck. So gewöhnen wir die Tiere von der ersten Stunde an eine Hütte. Von der ersten Minute an ist was los.

Für die Nacht im Haus haben wir eine Holzkiste 50x20x10cm, das Ganze mit Sand, Klee, Löwenzahn und Moos gepolstert. Am späten Nachmittag kommen sie jedoch alle in die große Holzkiste zum Schlafen. In den ersten Tagen dauert es immer eine Weile, bis jeder seinen Schlafplatz gefunden hat.

Ist das Wetter nicht so schön, stelle ich die Kiste einfach auf die Terrasse, gegen Katzen, Raubvögel und die noch recht kräftige Sonne wird das Ganze mit einer Plastikkiste mit großen Löchern, wie sie für Salat und Obst benützt wird, bedeckt.

Einige Tage (Anfang September) nach dem Schlupf unserer 9 Schildikinder zieht ein schweres Gewitter auf. Zur Vorsicht habe ich alle Schildkröten eingesammelt und in Plastikkörben auf die Terrasse gestellt, keine Minute zu früh. Die ersten Hagelkörner bekomme ich noch zu spüren.

Nachdem 8 Wochen kein Tropfen Regen gefallen war, hatte ich Angst, die Tier könnten ertrinken, da die ausgetrocknete Erde nicht so viel Wasser in kurzer Zeit aufnehmen kann. Wenige Minuten später steht 10 cm hoch das kalte Naß im Garten. Für alle Schildkröten kann eine so abrupte Abkühlung (Lungenentzündung) der sichere Tod sein. Die Tiere sind erhitzt, da es meist sehr heiß und schwül ist vor einem Gewitter. Nervös durch das aufziehende Gewitter, beginnen einige durch das Gehege zu laufen, andere wieder verstecken sich in der Hütte. Nachdem Gewitter entdecke ich im Gras eine kleine Schildkröte. Wo kommt die denn her? Sie lebt, das Gewitter hat sie aus der Erde gespült. Sie sah sehr mitgenommen aus. Wir wissen nicht, ob es noch andere Gelege in unserem Gehege gab und, ob frisch geschlüpfte Schildkröten durch den starken Regen unter der Erde den Tod fanden. Wir geben das Tier zu den anderen Jungtieren. Es war jedoch von der ersten Stunde an schwach und nicht so lebendig wie die anderen neun.

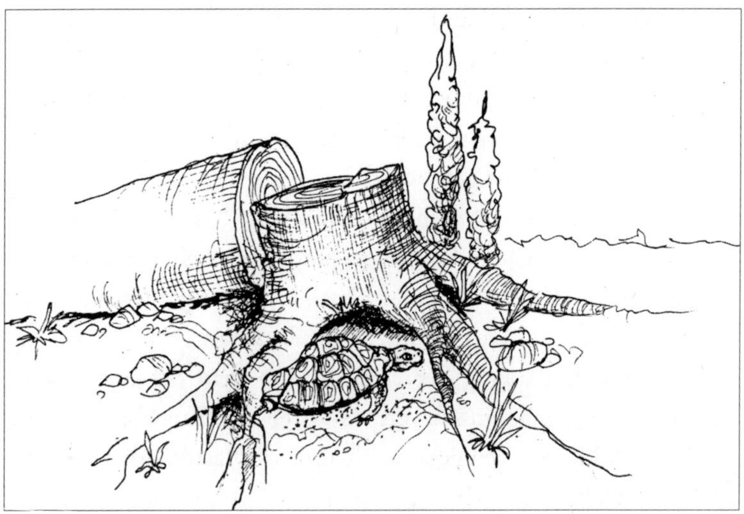

Jedes Versteck ist willkommen.

Immer was los

Es gab immer wieder etwas Neues zu beobachten. Wir wußten schon von den großen Tieren, daß immer, wo eine saß oder Futter zu sich nahm, die Nächste kam um zu stören. Bei diesen Miniausführungen, die nach dem Schlupf aussehen wie kleine Plastikfiguren, erleben wir es noch stärker. Schläft eine, auch wenn noch viel Platz ist, muß diese erklettert und überstiegen werden. Immer sitzen alle auf einer Stelle, beißt eine in ein Blatt, wollen alle anderen genau dieses Blatt auch. So werden auch die Schlafenden wieder geweckt, und die Kletterei beginnt von neuem.

Toben macht hungrig. Niemand will jedoch von dem schönen Plastikteller fressen welchen ich hingestellt habe, er wird nur als Kletterberg benützt. Wenn doch, sitzen alle in der Schüssel. Die Tiere haben einen sehr stark entwickelten Geruchssinn. Gibt es etwas, was ihnen besonders schmeckt, ist in wenigen Minuten die Hölle los. Der Anmarsch aufs Futter beginnt.

Vieles wird uns nun klar, die Kleinen dürfen nicht mit den großen Tieren zusammen gehalten werden. Die Freßgier der Tiere kann einem kleinen Tier Verletzungen, vielleicht sogar den Tod bringen. Beißt eine kleine Schildkröte in dasselbe Blatt zusammen mit einer großen Schildkröte, kann dies im wahrsten Sinne den Kopf kosten.

Natürlich wollen die großen Schildkröten die Kleinen nicht verletzen, sie fühlen sich jedoch durch diese neugierigen Miniaturen sehr gestört, vor allem Männchen benehmen sich oft ruppig gegenüber den Kleinen. Die kleine Rasselbande gibt ja nie oder nur selten Ruhe, sucht oft die Konfrontation mit den großen Tieren, marschierten hinter allem her was läuft.

Da sich die Kleinen instinktiv immer verstecken, sitzen sie sehr gerne unter den großen Schildkröten, vielleicht auch, um deren gespeicherte Wärme zu spüren. Der Panzer (Carapax) und der Bauch (Plastron) ist bei Jungtieren in den ersten Wochen sehr weich, es kann zu starken Deformierungen der Panzer kommen, wenn sich große Schildkröten auf die Kleinen setzen. Die Minis quetschen sich mit Vorliebe quer in enge Löcher oder zwischen die Geschwister. Kleine spitze Steine, die auf der Erde liegen, werden oft in den noch weichen Bauchpanzer (Plastron) gedrückt. Wir raten deshalb zu einer getrennten Haltung.

Viele Kinder und Erwachsene denken, daß der harte Panzer ein sicherer Schutz für das Tier ist und es dadurch keinen Schaden erleiden kann. Richtig hart ist der Panzer nur bei ausgewachsenen Tieren. Trotz allem sollte man nie auf eine Schildkröte treten, sie nie fallen lassen.

Ein Sturz aus der Hand oder von einem Tisch kann zu schwere innere Verletzungen führen. Vielleicht zeigt das Tier keine äußerlichen Schäden, innerlich kann es sich jedoch eine schwere Verletzungen zugezogen haben, die nach kurzer Zeit zum Tode führen kann. Der Panzer der Schildkröte ist mit dem Fingernagel des Menschen zu vergleichen. Schneidet man nur ein wenig zu tief, erhält man eine schmerzhafte blutende Wunde.

Denselben Schmerz empfindet eine Schildkröte, wenn dem Tier zum Beispiel ein Loch in den Panzer gebohrt wird.

Wir entschließen uns, für das nächste Frühjahr (1993) einen Schildi-Kindergarten zu bauen. Da es bei uns in der Nähe viele Katzenhalter gibt und diese Tiere auch auf unser Grundstück kommen, haben wir Angst um unsere Jungtiere. Katzen spielen gerne, vor allem mit etwas, das lebt und sich bewegt. Die Gefahr, daß die jungen Schildis als Jagdbeute aus dem Gehege getragen werden, ist groß. Im Garten, am Haus und im Gehege der Schildkröten leben viele

Mauereidechsen. Diese werden sehr oft das Jagdobjekt von Katzen, aber auch Amseln fressen, wie wir selbst beobachtet haben, ausgewachsene Eidechsen. Da wir in der Nähe von Feldern wohnen, gibt es Krähen, Elstern, und vor allem Eulen, die sehr gefährlich für die frisch geschlüpften Schildkröten sein können. Einem Bekannten wurden in einer Nacht 16 Babys der Breitrandschildkröte (*Testudo marginata*) aus dem nicht geschützten Gehege getragen. Einige Jungtiere trugen schwere Verletzungen davon. Zum Schutz der Tiere sollte ein Gehege mit Jungtieren **immer**, mit einem Netz oder Gitter abgedeckt sein. Im ersten Winter behalten wir die kleinen Schildkröten im Haus. So wird die Holzkiste zur ersten Winterbehausung. Gefüllt wird diese mit Sand und Moos. Der Schuhkarton mit „Eingang" dient wieder als Hütte, ein Marmeladenglasdeckel ist die Wasserstelle. Das Wasser muß jedoch 3–4 mal täglich (oder öfter) wegen „starker Verschmutzung" gewechselt werden. Die Kiste steht erhöht am Fenster neben der Heizung. Einmal pro Woche wird ein Teil des Sandes und das Moos gewechselt.

Bei schönem Wetter kommen die Schildkrötenbabies morgens alle aus der „Hütte" zum Futterplatz. Ist es sonnig, sitzen sie an der Holzwand, um Wärme zu tanken. Bei schlechtem Wetter, kommen sie nur zum Fressen heraus und verschwinden dann wieder in der Hütte zum Schlafen.

Ich stelle fest, daß an trüben Tagen nicht alle Tiere täglich zum Fressen kommen. Manche schlafen drei bis vier Tage. Dieses bedeutet, die „Minis" halten Winterschlaf auf Raten oder die Temperatur in der Kiste ist falsch. Die Zimmertemperatur liegt bei Tag um 20–22 °C. Die Nachttemperatur im Zimmer beträgt meist ca. 17–20° C. War es sehr kalt in der Nacht (um 0 °C) waren es auch im Zimmer nur 15 °C. Daß die Tiere zum Verdauen ca. 30 °C und mehr brauchen, wußten wir noch nicht.

Ab sofort hängen wir eine 25 Wattbirne in die Kiste, nun sitzen alle unter der Lampe. Wenn es ihnen zu warm wird verschwinden sie in den kühleren Teil der Kiste, oder in ihrem Haus! Plötzlich kommen auch alle wieder täglich zum Futterplatz.

Die Lampe wird täglich zwischen 8 und 17 Uhr eingeschaltet.

Ich lese, daß die Tiere viel Feuchtigkeit brauchen. Wir überlegen, wie das im Sommer ist. Da setzen sich unsere Schildis einfach ins Wasserbecken, warten bis es regnet, oder abends der Wasserschlauch kommt. Nicht alle Tiere baden. Es gibt welche, die täglich ein Bad nehmen, andere halten das für völlig überflüssig.

Natürlich „dufteten" die zehn nach einer Woche. Ich setze alle in eine große Styroporschachtel, lasse handwarmes Wasser ins Waschbecken laufen, setze alle hinein. Nicht zuviel Wasser, damit sie nicht aus Angst vor dem Ertrinken ständig zappeln.

Einige bleiben still sitzen, genießen das laue Bad, andere versuchen sofort, an Land zu klettern, zwei beginnen zu trinken.

Kot und Urin werden abgesetzt, so daß das Badewasser mehrmals gewechselt werden muß. Vorsichtig, sehr vorsichtig bürste ich alle mit einer Nagelbürste, und zwar nur Panzer und Bauch. Dann wird kurz geduscht und es geht zurück in einen mit Papierhandtüchern ausgelegten Behälter. In der Zwischenzeit wird die große Holzkiste entleert. Es gibt frischen Sand, der dafür Eimerweise in der (beheizten) Garage steht, damit er nicht zu kalt ist. Er wird jedoch in der Kiste etwas angefeuchtet. Dazu gibt es nun wieder frisches, feuchtes Moos und vor allem Futter. Zur Auswahl stehen heute, frischer Klee, Löwenzahn und Feldsalat. Da bei uns die Winter mild sind, meist kein Schnee fällt, kann man den ganzen Winter über frischen Löwenzahn und Klee aus dem Garten anbieten.

Für den Fall, daß es einmal regnet, haben wir im Herbst für den Winter viel Löwenzahn, Löwenzahnblüten und Klee gesammelt und dieses getrocknet. Diese „Futtereinlage“ wird gleichzeitig zum Naschen und zum Verstecken benützt.

Nachdem Baden sind alle zuerst recht wild, da jedes Tier einen neuen Schlafplatz sucht. Das Essen schmeckt danach um so besser. Das angebotene Grünfutter wird zuerst gewaschen, danach klein geschnitten und in einem Papierteller angeboten. So läßt sich das Ganze besser sauber halten. Oft wird der Teller als Schlafplatz benutzt. Das angebotene Futter dient so als Feuchtigkeitsspender. Das welk gewordene Futter muß täglich aus der Kiste genommen und durch frisches Futter ersetzt werden. Eine willkommene Abwechslung für „unsere Buben“ sind Radieschenblätter, die es ja den ganzen Winter im Supermarkt gibt.

Der Winter geht zu Ende und wir haben für die zehn Schildis im Frühjahr 1993 ein Aufzuchtgehege mit einem Netz darüber vorbereitet, darin befindet sich eine Holzhütte mit einem kleinen Eingang 5 x 10 cm, damit keine ungebetenen Gäste darin schlafen können.

Die kleine Schildkröte, die ich im September nach dem Gewitter fand, war die einzige, die fast den ganzen Winter nur schlief und jegliches Futter ablehnte. Wenige Tage vor dem Umzug ins Freie beginnt das Tier plötzlich Klee zu fressen. Drei Tage später finde ich es tot in der Kiste. Schade, daß es der kleine Kerl nicht geschafft hat, bei uns groß zu werden.

An einem herrlich warmen Frühlingstag beginnt für die neun Schildis der Umzug in den Garten. Nun können sie von morgens bis abends im Klee spazierengehen und durch die Hütte marschieren. Wir haben dafür schon einen Monat vorher Klee und Salat von verschiedenen Sorten eingesät. Wir haben einen Riesenspaß, den kleinen Schildis bei ihren ersten Ausflügen und Kletterversuchen zuzusehen.

Hatten wir 1992 das Glück, ohne Brutkasten, Legehügel und sonstige Hilfsmittel 10 Schildis zu erhalten, wollen wir das in der Zukunft nicht mehr so sehr dem Zufall überlassen. Wir halten die Erde nun etwas lockerer, was aber bei Lehmboden nicht so einfach ist. Im Frühjahr ist der Boden noch weich, nach den ersten heißen Tagen oder einem Gewitter mit viel Regen wird er in kurzer Zeit wie Beton.

Mitte Mai beginnen unsere „Damen“ mit der Suche nach einem geeigneten Legeplatz. Was wir ihnen anbieten – lockere Erde an sonnigen Stellen – wird nicht angenommen. Bis heute verstehen wir nicht, warum ausgerechnet an der härtesten Stelle gegraben wird.

Bei manchen Tieren beobachten wir, daß sie während des Grabens Urin abgeben. Vielleicht ist dies ein Bedürfnis, oder sie tun es, wie in manchen Büchern steht, um die Erde zu lockern. Der Lehm wird jedoch danach nur klumpig und noch schwerer, da er durch die Feuchtigkeit nun an den Krallen und Füßen klebt, behindert er die Tiere beim Ausheben der Grube erheblich. Die Eier werden vom Tier selbst wieder mit Erde bedeckt. Wir kennzeichnen die Ablagestelle mit einem Holzstab, notieren uns das Legedatum, die Anzahl der Eier und den Namen der Mutter.

Sind die Eier abgelegt und das Gelege wieder zugedeckt, wird sofort ein kleiner Stock in die Erde gesteckt, damit wir nach 85–105 Tagen, – so lange dauert die **Erdausbrütung** –, an dieser Stelle das Gras entfernen, eventuell die Erde lockern.

Die Wurzeln gehen jedoch manchmal so tief, daß beim Ziehen eventuell ein Ei beschädigt oder gedreht wird.

Wir haben nun drei eierlegende Tiere. In einem normalen Jahr legt jedes unserer Tiere drei mal, pro Gelege zwischen drei und sechs Eier ab. Nicht jedes Jahr sind alle Eier befruchtet.

Von Mitte Mai bis Anfang September ist eine lange Wartezeit. Die von uns aufgestellten Stöckchen, zur Markierung der Gelege, werden fast täglich niedergetrampelt. Da die Tiere ihre Eier mit Vorliebe an den Rand des Geheges ablegen, der Rand gleichzeitig der tägliche Pfad auf der Suche nach Futter ist, waren nach einiger Zeit die Stellen der Gelege meist nur sehr schwierig zu finden.

Diese Vorliebe für den Rand hat auch Chiara. So ist es passiert, daß Chiara bei ihrer zweiten Eiablage, denselben Platz wie Paulin bei der ersten Legung auswählt und das erste Gelege von Paulin ausgrub, diese Eier dreht und beschädigt. Wieder hatten wir etwas gelernt. Leider zu spät!

Im Herbst 1993 erhalten wir von unseren drei Muttertieren 18 muntere Schildkröten, die wir über den Winter genau so aufziehen wie die ersten Tiere. Nur in einer noch größeren Kiste.

Die Neun – vom letzten Jahr – nun schon groß, dürfen den ersten richtigen Winterschlaf in ihrer Hütte im Freien halten. Dafür kaufen wir eine Plastikwanne – wenige Zentimeter kleiner als die Hütte, die in die Erde eingelassen wird. Gefüllt ist die Wanne mit Sand und Erde. Damit jeder wieder alleine auf die Beine kommt, wenn er in der Hütte einmal klettert und auf den Rücken fällt, gibt es eine große Portion Moos. Nun wird die Hütte über das Ganze gestellt, der Rand innen und außen aufgefüllt, wer schlafen will, kann sich nun ungestört für den Winterschlaf eingraben!

Diese Plastikwanne haben wir zur Vorsorge eingegraben. Wir kämpfen schon seit Jahren gegen Wühlmaus und Maulwurf. Diese sind durch **nichts** aus dem Garten zu vertreiben und machen unseren Tieren das Leben recht schwer. Wie oft es passiert ist, daß vor einem Hütteneingang sich morgens ein riesiger Erdhügel erhob, können wir nicht mehr zählen. So kann kein Tier mehr raus oder rein. Ohne unsere Hilfe sind die Tiere hilflos eingesperrt.

Wie oft Eier durch das Stoßen und Tunnelgraben hoch gedrückt werden, die kleinen Tiere beim Schlüpfen in einen tiefen Schacht des Maulwurfs fallen, wissen wir nicht.

Gift, egal welcher Art, hat in einem Schildkrötengehege überhaupt nichts verloren. Wir haben nun 18 Jungtiere, sind froh und doch gleichzeitig unzufrieden. Es hätten mehr, viel mehr Schildis das Licht der Welt erblicken müssen. Vier Eier hat Chiara von Paulin zerstört, die anderen Eier waren entweder nicht befruchtet oder dem Maulwurf zum Opfer gefallen. Vielleicht waren die Tiere auch nur zu schwach, um sich durch die harte Erde und das Gras zu kämpfen. Hier gewinnt nur der Stärkere. Mit unserer Hilfe werden es in Zukunft auch die Schwachen schaffen.

Langsam wird es eng bei uns. Da sind die neun Jungtiere von 1992 die alle gesund und munter, sogar mit Wachstumsstreifen, aus ihrem ersten Winterschlaf erwachen und die 18 Jungtiere von 1993. Wir wußten jedoch schon jetzt, daß es 1994 noch mehr Jungtiere sein würden.

Wir haben über den Winter wieder studiert, wie und was man alles besser machen kann, damit es keine Sterbefälle gibt. So mancher gibt uns den Rat, einen Brutkasten zu kaufen. Im Handel sind sie bei uns auch (noch) nicht erhältlich. Es gibt bis jetzt nur einen Brutapparat – die Sonne. An Stelle eines Brutapparates wird Mitte Mai 1994 ein Loch im großen Gehege ausgehoben, genau in der Mitte. An dieser Stelle wird nicht gelaufen, vor allem ist es der Platz, der vom Morgen bis zum Abend von der Sonne beschienen wird. In das vorbereitete Loch stellt mein Mann eine wasserdurchlässige Plastikkiste, wie sie im Obst und Gemüsehandel benützt wird. Anschließend wird diese Kiste mit viel Sand und wenig Erde gefüllt.

Unsere Tiere legen ihre Eier in diesem Jahr am Wochenende ab, so daß wir genügend Zeit haben, sie dabei zu beobachten.

Nachdem jedes Tier gelegt hat, holen wir die Eier aus der Erde und graben sie im Sand, in der dafür vorbereiteten Plastikkiste ein. Ein Ei neben das andere. Wir wissen nun genau, wo die Eier liegen.

Zum Schutz gegen Vögel, Katzen sowie Hagel und auch gegen die größeren Tiere wurde ein feinmaschiges Metallgitter über die Eier gestellt.

In den folgenden Wochen (vom 20. Mai bis 15. Juni) legen alle drei Tiere drei Mal Eier ab. Wir zählen 34 Eier. Es wird ein heißer, ja sehr heißer Sommer. Alles stöhnt unter der oft unerträglichen Hitze. Jeden Abend muß das Gehege bewässert werden, bis auf den Teil, wo die Eier liegen. Hier wird nur täglich leicht befeuchtet.

Am 17. August ist es soweit. Als ich am Morgen die Futterschüsseln einsammle, ist ein Tier geschlüpft, es sitzt am Rand unter dem Gitter. Unsere Idee war gut. Wir konnten so genau kontrollieren, wer wann aus dem Ei schlüpft. Täglich saß nun eines oder mehrere frisch geschlüpfte Jungtiere unter dem Gitter. Wir stellen fest, daß nicht alle Tiere aus dem selben Gelege auch am selben Tag schlüpfen, einige Tiere brauchen dazu 3–8 Tage länger als die Geschwister. Obwohl alles mit Steinen und Draht gegen Vögel, Katzen und Hagel abgedeckt war, haben wir die Neugierde unsere Tiere vergessen. Diese benützen den engen Maschendraht als Klettergerät, was zunächst nicht weiter tragisch ist.

Bis ein Tier es schafft, unter das Gitter zu kriechen, den Rückweg nicht mehr findet und innen am Netz zu klettern beginnt.

Dabei rutscht das Tier durch sein Körpergewicht immer tiefer in den Sand, dreht so einige der Eier. Als ich den Störenfried endlich draußen habe, ist es schon zu spät. Ein Ei hat durch die Krallen ein großes Loch erhalten, das andere einen Riß.

Wir erhalten durch diesen Zwischenfall einige Zeit später aus dem Ei mit dem Loch eine Mißgeburt, die jedoch lebensfähig ist.

Der Kleine hatte nur 3 Beine, der linke Vorderfuß war nicht normal ausgebildet, dazu war das Tier blind.

Mein Mann füttert ihn mehrmals täglich mit Hilfe eines Zahnstochers. Bis er nach ca. 3 Wochen von selbst beginnt sich seine Nahrung zu suchen. Dreifuß, wie wir ihn nennen, wird drei Monate später von einem großen Tier versehentlich erdrückt. Als ich ihn finde, lebt er noch, sein ohnehin verschobener Carapax hat einen Riß an der Seite. Obwohl ich ihn nach zwei Tagen im ganzen Babygehege suche, finde ich keinerlei Reste von ihm. Er ist spurlos verschwunden! Haben ihn seine Brüder (Kannibalismus) gefressen? Es wird für uns immer ein Rätsel bleiben.

1994 werden 25 gesunde und 1 mißgebildetes Schildkröten-Baby geboren. Einige Eier waren wieder nicht befruchtet. Langsam wird es uns Bange, ohne die Muttertiere haben wir nun 9 Jungtiere von 1992, 18 von 1993 und nun 25 von 1994. In drei Jahren 52 Nachzuchten! Ein stolzes Ergebnis für zwei Laien, wie wir es waren.

Zu unserem Hochzeitstag (Oktober 94) bekomme ich von meinem Mann ein ganz besonderes Geschenk: Zwei kleine Breitrandschildkröten (*Testudo marginata*)! Für mich hat dieses Geschenk mehr Wert als ein Brillantring mit Blumen! Die beiden sind zwei Jahre alt, das Geschlecht kann man noch nicht erkennen. Ich taufe sie trotzdem auf die Namen Hänsel und Gretel.

CITES-Pflicht

In Italien wird es nun ernsthaft Pflicht Landschildkröten bei den Behörden anzumelden. Man bekommt auf Anfrage von der Behörde eine Meldebescheinigung, mit dieser Bescheinigung kann man für Jungtiere ein Zertifikat (CITES) gegen Bezahlung anfordern.

CITES ist eine Art Personalausweis für artengeschützte Tiere. Welche Arten geschützt oder besonders geschützt sind, schreibt das Washingtoner Artenschutzabkommen von 1973 sowie die EU-Verordnung Nr. 338/97 vor. Wir haben unsere Jungtiere und adulten Tiere schon im April 1994 alle ordnungsgemäß, beim Kreisforstamt, angemeldet.

Im Oktober 1994 melden wir nun unsere 25 frisch geschlüpften Jungtiere an.

In diesem Winter halten in unserem „Kindergartenhaus" 27 Jungtiere, davon 9 schon zum zweiten Mal Winterschlaf im Freien. Dazu zwei *Testudo marginata*-Kinder. 25 Jungtiere verbringen den Winter im Haus.

Aus Plexiglas baut mein Mann ein Zimmerterrarium in der Größe 1 x 0,5 x 0,45 m, für unsere kleine Rasselbande.

Das Terrarium wird wie die Holzkisten mit etwas Sand und Moos gefüllt. Ein Schuhkarton wird wieder zur Hütte. Darüber hinaus dient eine 25 Wattlampe als Licht- und Wärmequelle. Der Vorteil zur Holzkiste ist: Man kann die Tiere besser beobachten.

Das Frühjahr 1995 beginnt mit viel Regen, Kälte und starken Temperaturschwankungen. Wetter, wie wir es eigentlich aus Deutschland gewöhnt sind. Unsere Tiere erwachen sehr spät. Manche erst Mitte April. Schlechtes Wetter und das in Italien.

Der Mai ist vorbei und keines unserer Tiere macht Anstalten, Eier zu legen. 18–20 °C ist unseren Tieren einfach zu kalt! Dann klappt es doch noch. Wir zählen mehr als 60 Eier! Einige Eier sind von Jungtieren die das erste Mal legen. Unsere „neuen" Muttertiere haben bei der ersten Eiablage alle ein Gewicht von 600–700 g und sind zwischen 6 und 8 Jahre alt.

Einige Eier sind von weiblichen Tieren die bis dahin allein gelebt haben. Das Wetter wird nicht besser, spielt immer mehr verrückt. Die Temperaturschwankungen sind sehr stark. Das Risiko, daß die Eier, bei diesen Temperaturen im Freiland nicht fertig ausgebrütet werden, ist hoch. So entscheidet sich mein Mann in letzter Minute für einen Brutkasten.

Brutkasten: Marke Eigenbau!

Brutkästen speziell für Schildkröteneier gibt es hier bei uns keine zu kaufen. Ein erfahrener Züchter erzählte mir einmal am Telefon, daß man einen Brutkasten leicht selbst herstellen könne. Wir beginnen sofort mit der Ausführung. In eine große Plastikwanne (80 x 60 x 35 cm) legen wir zwei große Bausteine, auf diese Steine wird eine zweite Plastikwanne (60 x 40 x 12 cm) gestellt. Diese Plastikwanne wiederum füllen wir ca. 5 cm hoch mit feinem Sand.

Die große Wanne wird mit Wasser gefüllt, bis dieses die Sandhöhe erreicht.

Jetzt markieren wir uns mit einem Stift die Wasserhöhe, um beim Verdunstungsvorgang immer die richtige Menge Wasser nachzufüllen zu können. Die Wanne sollte jedoch nicht schwimmen.

Ein mit einem Temperaturregler versehener Aquarienheizstab hält die Wassertemperatur konstant auf 30–32 °C. Die abgelegten Eier werden nur zur Hälfte in den Sand eingebettet. Der Sand sollte nicht allzu hoch in die Plastikwanne eingefüllt werden, damit keines der frisch geschlüpften Tiere über den Rand klettern kann und dabei ins Wasser fällt und ertrinkt. Die große Plastikwanne wird mit einer leicht schräg aufliegenden Styroporplatte abgedeckt. Die Schräglage der Platte verhindert, daß das entstehende Kondenswasser auf die Eier tropft, gleichzeitig sorgt es für eine mäßige Luftzirkulation.

Wir haben mächtiges Herzklopfen, ob dieser „Brutkasten“ auch funktioniert.

Der Brutkasten steht in unserer Garage, diese hat zwei große Fenster auf der Südseite, das Garagentor ist aus Metall und liegt auf der

Ostseite. Schon am Morgen steigt die Temperatur in der Garage stark an, wenn die Sonne bis ca. 12 Uhr auf die Metalltüre brennt. Bei Tag herrschen in der Garage Temperaturen um 30–35 °C.

Nach 55 Tagen sind am Morgen die ersten 3 Tiere geschlüpft. Hurra, es hat funktioniert. Drei kleine „Plastikfiguren“ sitzen da am Rande des Plastikbehälters. Wir nehmen sie sofort heraus, damit sie nicht die Eier der Anderen, durch ihre Krabbelversuche drehen.

Der Frühsommer 1995 ist so schlecht, daß kaum jemand auf **normalem** Wege – das heißt ohne Bruthilfe – Jungtiere erhält. Wenn ja, dann nur eine sehr kleine Zahl, die meisten davon sind je-

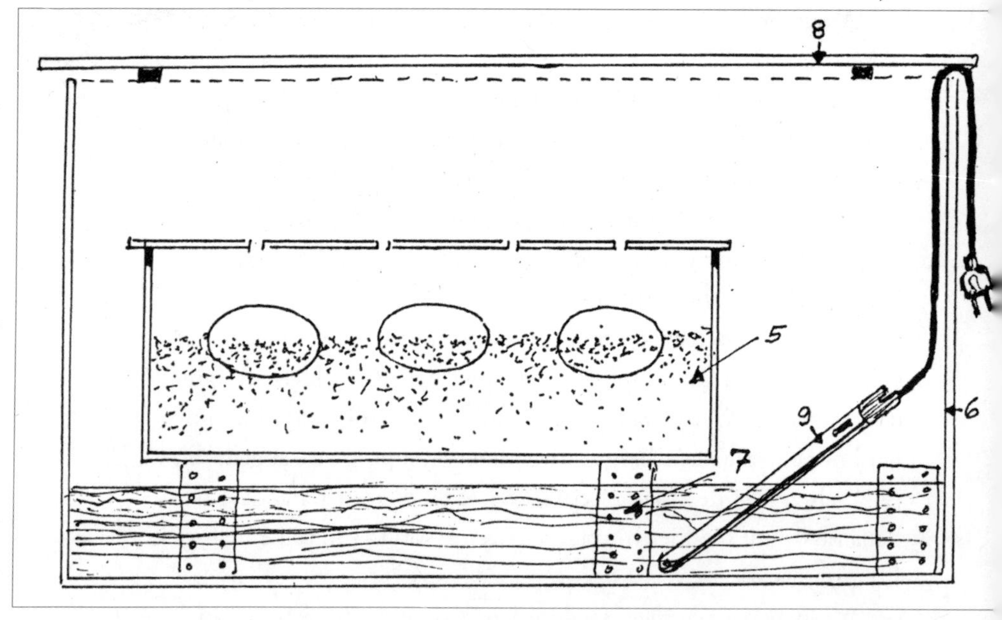

Brutkasten: Marke Eigenbau: 5 = Sand; 6 = Plastikwanne; 7 = Steine; 8 = Styroporplatte; 9 = Heizstab

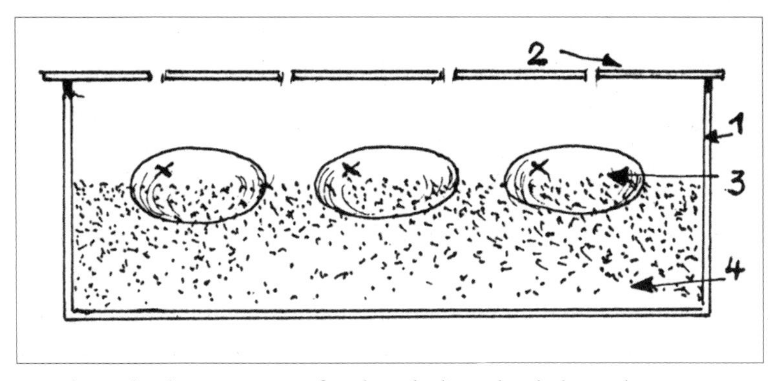

1 = Kleine Plastikwanne; 2 = muß nicht unbedingt abgedeckt werden
3 = Eier, 4 = Sand

doch deformiert, es fehlen ein oder mehrere Rückenschilder, dazu sind die Tiere sehr klein. Eine wirklich feine Sache so ein „Brutkasten“. Von Chiara sind 2 Eier über der Zeit, keine Anzeichen. Soll ich oder soll ich nicht? Mein Mann sagt nein, man soll nicht der Natur ins Handwerk pfuschen. Ein schwerer Irrtum, wie sich nach 3 weiteren Tagen herausstellt! Nach 5 Tagen öffne ich vorsichtig ein Ei. Es bewegt sich nichts. Das Ei enthält Zwillinge. Beide sind leider schon tot. Das größere Tier konnte das Ei nicht öffnen, da es mit dem Eischnabel die Schale nicht erreichte. Das kleinere war noch nicht völlig entwickelt, hatte also zum Öffnen noch keine Kraft. Auch im andern Ei war das kleine schon tot. Schade!

Das nächste Mal öffne ich das Ei früher, lasse das Jungtier im Ei sitzen. So kann es seinen Dottersack in Ruhe einziehen und dann die Schale aufdrücken. Durch die gute und ausgewogene Ernährung, die Zugabe von Sepiaschalen und Muschelkalk legen unsere ersten Muttertier, wie Chiara, Nera und Paulin, oft Eier mit sehr starken Schalen. Vielleicht sind die Jungtiere einfach nicht stark genug, um so ein hartes Ei zu öffnen. Aus diesem Grunde ist ein Brut-

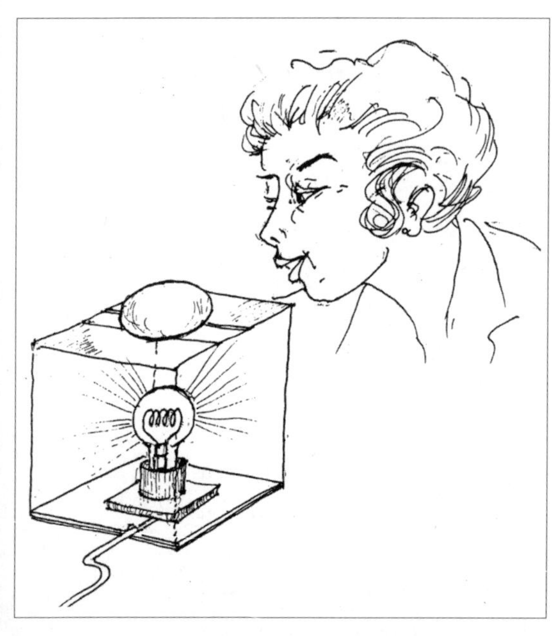

Kontrolle nach ca. 10 Tagen, ob die Eier befruchtet sind.

apparat so etwas wie ein Retter in der Not, denn man kann genau die Brutzeit (Zeitigungsdauer) errechnen.

Bei Bedarf kann man so nachhelfen, indem man ein „Fenster" – einen kleinen Riß – in die Seite des Eis macht. Ist das Ei an einer Seite offen, bekommt das Tier Luft, und kann so seine Eischale vollständig öffnen.

Wir erreichen trotz schlechten Wetters 1995 einen neuen Zuchtrekord. Aus über 60 Eier schlüpfen bei uns 48 kleine Schildkröten. Diese dürfen sich bei uns wieder einige Zeit austoben.

Durch die Meldepflicht der artengeschützen Tiere erhalten wir laufend Zuwachs. Jeder, der uns kennt, und etwas über Schildkröten wissen will, kommt zu uns oder schickt Leute vorbei. So mancher findet ein ausgesetztes Tier, bringt es uns. **Ausgesetzt** wegen der Meldepflicht. Jemand bringt uns ein *Testudo hermanni hermanni*-Weibchen mit einem Klumpfuß. Diesen Fuß soll das Tier angeblich durch einen Hundebiß haben, wir glauben jedoch vielmehr, daß das Tier, um am Weglaufen gehindert zu werden, am Bein angebunden wurde und sich so die Verstümmelung zugezogen hat (siehe Seite 81).

Von Alma, wie wir sie nennen, ist uns nur bekannt, daß sie bei einem Ausflug an die Ligurische Küste auf einem Markt als Jungtier vor ca. 8 Jahren, von einem Tierhändler aus Korsika, gekauft wurde. Eine Woche später kommt ein *Testudo hermanni hermanni*-Männchen dazu, auch er soll von der Ligurischen Küste stammen. Wir taufen ihn Fido. Unseren Fido, ein *Testudo hermanni boettgeri* Männchen geben wir mit den nötigen Papieren einem Mann der dazu ein gleichaltriges Weibchen besitzt. Aus diesem Grunde nenne wir das neue *Testudo hermanni hermanni*-Männchen wieder Fido. Zuerst will dieser Mann sein weibliches Tier nicht anmelden und es zu uns bringen. Als er jedoch sieht, wie wir uns um die Tier bemühen, wie niedlich die Jungtiere sind, entschließt er sich, sein Tier doch zu melden.

Kurzfristig wird die Anmeldefrist verlängert. So mancher Halter scheut sich, sein Tier anzumelden, wir rufen in der Tageszeitung auf, Tiere nicht einfach auf Wiesen, Feldern oder im Wald auszusetzen. Zusammen mit einer weltbekannten Hilfsorganisation holen wir nun unerwünschte Tiere kostenlos ab.

Bis zur Fertigstellung der Unterbringung bleiben die Tiere bei uns.

Elf Landschildkröten holen die freiwilligen Helfer des international bekannten Tierschutzes bis zum 30. Juni 1995 bei uns ab, wir geben Ratschläge zur Haltung und zur Trennung, denn die jungen Zivildienstleistenden haben keinerlei Erfahrung im Umgang mit Landschildkröten.

Unsere Schildkrötenfamilie wächst und wächst bis zum 30. Juni 1995 noch um einige Exemplare. So mancher bringt sein Tier zu uns, schaut sich unser Schildkrötengehege an, und entscheidet mit den Worten:

„Bitte behalten sie unser Tier.“ So kommen Rudi und Berta zu uns. Sie sehen aus wie Zwillinge, stammen jedoch aus verschiedenen Gärten. Von den beiden finde ich in der Unterartenbeschreibung des Buches „Europäische Landschildkröten“ nichts. Wir reihen sie unter *Testudo hermanni boettgeri* ein, glauben jedoch, daß es eine noch nicht bekannte Unterart der östlichen Griechischen Landschildkröte ist (siehe Seite 85: **Rudi & Berta**).

Beide haben einen Panzer (Carapax) der an verwaschenes Gelb erinnert, mit einem starken Einschlag ins Graue. Der Bauch (Plastron) hat kaum einen schwarzen Fleck. Beide sind nicht so hoch gewölbt wie die anderen Tiere, dafür jedoch etwas breiter. Von den beiden wissen wir nur, daß sie vor 15 und 17 Jahren im Urlaub, für die Kinder in Kalabrien (Süditalien) an verschiedenen Orten gekauft wurden. Beide lebten bis zu ihrer Umsiedlung zu uns, jeder für sich allein in einem großen Garten.

BASTARDE

Jemand fragt mich, ob ich nicht einmal seine Schildkröten ansehen könne. Gerne bin ich dazu bereit. Man sagt mir, daß die beiden Tiere nur streiten. In dem Gehege erkenne ich ein *Testudo h. boettgeri*-Weibchen und ein *Testudo hermanni hermanni*-Männchen. Wir tauschen mit dem Halter ein *Testudo hermanni boettgeri*-Männchen gegen sein *Testudo hermanni hermanni*-Männchen. Als er uns nach einigen Tagen anruft, sagt er uns die beiden vertragen sich sehr gut. Wir geben ihm jedoch den Rat, sich nach ein oder zwei weiteren Weibchen umzusehen, da man mindestens drei Weibchen – wegen Streß und Verletzungsgefahr – mit nur einem Männchen zusammen halten sollte. Auch in diesem Gehege wird es in den nächsten Jahren nur **reinrassigen** Nachwuchs geben. Wer *Testudo hermanni hermanni* und *Testudo hermanni boettgeri*, also die westliche und östliche Unterart der Griechischen Landschildkröte zusammen hält, darf sich nicht wundern, wenn er Bastarde züchtet.

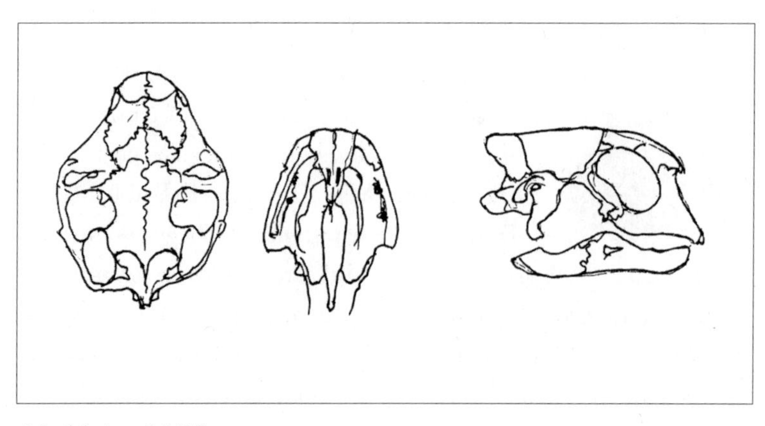

Schädel einer Schildkröte

WILMA

Von einem älteren, kranken Züchter, – er ist in der Zwischenzeit leider verstorben – er konnte sich aus Krankheitsgründen nicht mehr um seine mehr als 30 Tiere kümmern, bekommen wir Wilma! Ein adultes *Testudo hermanni boettgeri*-Weibchen. Sie wurde vor vielen Jahren als Jungtier zusammen mit anderen Schildkröten, von einem Albanier als „Geschenk" mitgebracht. Wilma – wie wir sie nun nennen – hat einen fast zitronengelben Rückenpanzer (Carapax), der Bauchpanzer (Plastron) zeigt nur einige verwaschene schwarze Stellen. Die selbe Farbe haben ihre Kinder, die schon bei uns geboren sind. In der Zwischenzeit haben wir ein ähnliches männliches Jungtier bei uns aufgenommen. Dieses Tier wird in 1–2 Jahren geschlechtsreif (siehe Seiten 72, 84).

Wilma hat, da der Besitzer sechs Wochen im Krankenhaus war, wenig Futter erhalten. Ihr „Untergewicht", das sie mitgebracht hat, ist bis zum Herbst längst vergessen. Die Auswirkung ihrer unfreiwilligen Hungerkur zeigt sich jedoch erst später an ihrem Nachwuchs. Wir haben zwar (1995) über 80 Eier in unserer Bruthilfe, viele Eier sind jedoch nicht befruchtet. Einige stammen von Tieren, die – wie Berta – allein gelebt haben. Manche Eier sind von Jungtieren, die das erste Mal bei uns ihre Eier abgelegt haben. Wir sind, trotz schlechtem Frühjahr und Sommer, jedoch wieder stolze „Eltern" von gesunden und munteren 48 Jungtieren.
Hier noch eine kleine Übersicht unserer 1995 frisch geschlüpften Jungtiere: Geburtsgewicht von

Testudo hermanni boettgeri von 12 bis 16 Gramm
Testudo hermanni hermanni von 9 bis 13 Gramm

Alle von uns angemeldeten Schildkröten ergeben zusammen die stolze Zahl 123!

Unser Problem = Cites

Pflege

Jeden Morgen erhalten unsere Tiere frisches Futter. Den Salat bewahre ich an heißen Tagen in einem Kühlschrank auf, wo er sich länger und besser frisch halten läßt. An heißen, sehr heißen Tagen – das heißt bei uns Temperaturen im Schatten bis 42 °C – wasche ich den gekühlten Salat in kaltem Brunnenwasser, danach fallen unsere Tiere regelrecht über diese kühle Mahlzeit her. Im Sommer wird jede Art Futter durch die Hitze in kurzer Zeit zu Kompost. Salat sollte jedoch nicht die Hauptnahrung der Tiere sein.

Wenn ich am Morgen keine Zeit zur Fütterung habe, deshalb das Futter schon am Abend vorher auslege, muß ich damit rechnen, daß vieles davon in der Nacht von Schnecken gefressen wird. Das habe ich zunächst nicht bedacht. So war an manchen Tagen gegen 10 Uhr nichts mehr zum Fressen in den Schüsseln. Hat es in der Nacht geregnet, war das Futter am Morgen schon reif für den Kompost.

Dann kam ich auf die Idee, das Futter schon am Abend vorher in die Teller zu füllen, diese über Nacht an einem kühlen Platz aufzubewahren, wo keine Schnecken ans Futter können. So muß ich am Morgen nur die Teller in den einzelnen Gehegen verteilen.

Jedoch wächst noch genügend Futter, wie Klee, Salat, Löwenzahn in den Gehegen, dieses wird jedoch nicht von allen Tieren gesucht und gefressen, viele fressen nur, wenn es ihnen angeboten wird, das heißt sie suchen das Futter nur am Futterplatz. Einige Halter sagen mir, ihre Tiere fräßen nichts.

Mich hat das doch sehr verwundert, da unsere Tiere immer am Fressen sind, bis auf einige Ruhepausen. Wer seine Tiere erst gegen

17 oder 18 Uhr füttert, darf sich natürlich nicht wundern, daß die Tiere das Futter nicht anrühren.

Um diese Zeit gehen einige Schildkröten schon schlafen. Geschieht dies an mehreren Tagen, daß die Tiere nichts oder nur wenig fressen, oder fressen können, ist das wie eine Abmagerungskur. Schlechtes Wetter tut ein übriges, die Tiere werden appetitlos, dann teilnahmslos und graben sich mitten im Sommer wieder ein. Untergewicht, sieht man einer Schildkröte nicht an, sie ist jedoch auf die Dauer tödlich für das Tier. Jungtiere, die bis zum Sommer noch keine Wachstumsstreifen zeigen, müssen jede Woche gewogen werden, um festzustellen, ob eine Gewichtszunahme erfolgt ist.

Wachstumsstreifen bei Jungtieren erkennt man leicht mit dem bloßen Auge, an den hellen Streifen, die sich zuerst rund um den Carapax (Panzer), dann zwischen den einzelnen Schilder auf dem Rücken der Schildkröte bilden.

Diese Wachstumsstreifen haben oft auch große Tiere, von denen man denkt, sie seien ausgewachsen. Ist das Nahrungsangebot für Jahre recht karg, kann der Wachstumsstreifen ausbleiben, da das Tier nur sein Gewicht hält. Wie mager, oder wieviel Untergewicht eine Schildkröte hat, sieht man nicht, man kann es jedoch am Gewicht erkennen.

Eine Regel, wie schwer eine Schildkröte sein muß, gibt es nicht. Hält man jedoch eine ausgewachsene Schildkröte hoch, sollte man nicht das Gefühl haben, man hält einen hohlen Panzer in der Hand. Schildkröten mit Untergewicht – egal in welchem Alter – sind sehr anfällig für alle Krankheiten. Hat eine eierlegende Schildkröten starkes Untergewicht, legt sie keine oder nur wenige, oft unbefruchtete Eier ab.

Sind die Eier jedoch befruchtet, haben die Schlüpflinge oft keine Kraft, um das Ei zu öffnen, oder sie sterben im Ei schon vor der vollständigen Entwicklung ab. Schafft ein Jungtier es, das Ei zu verlassen, bleibt es meist im Wachstum lange hinter gesunden, kräftigen Tieren zurück.

Von unseren Jungtieren sind zwar einige klein, da sie von kleinen Muttertieren stammen, jedoch hat kein Tier ein Schlupfgewicht, das unter 8 Gramm liegt. Kräftige, gesunde Schildkrötenbabys erkennt man leicht, da sie sehr neugierig und meist auf Futtersuche sind, sie erkunden das gesamte Gehege. Kommt jemand in die Nähe des Geheges wird sofort in wilder Hast das schutzbietende Haus aufgesucht. Erste Anhaltspunkte auf eine Krankheit erkennt man schnell, wenn man die Ausscheidungsprodukte überwacht. Wer seine Tiere nicht kontrolliert, merkt meist zu spät, daß die Schildkröte krank ist.

Normalerweise sollte der Kot fest und kompakt sein und mit dem Urin zusammen eine weiße Flüssigkeit abgegeben werden. Die Sterberate der Jungtiere, die von solchen „mageren“ oder ausgehungerten Müttern stammen, ist sehr hoch, einige erreichen aus diesem Grunde nicht das 3. Lebensjahr.

Untergewichtige Schildkröten verweigern die Nahrung nicht, weil sie satt sind, sondern aus einem anderen Grunde: Appetitlosigkeit! Sie fressen nichts, können nichts fressen durch die Entkräftung und der damit verbundenen Schwäche. Die ersten Anzeichen machen sich oft nach dem Winterschlaf bemerkbar.

Meist sitzen solche Tiere von morgens bis abends an derselben Stelle und rühren sich kaum. Im weiteren Verlauf kommen sie dann nicht mehr aus der Hütte, oder bleiben nur im Schatten unter einer Hecke sitzen. Dieses ist sozusagen ein Warten auf den Tod. Hier heißt es aufgepaßt. Ist die Abmagerung zu weit fortgeschritten, so daß das Tier keine Nahrung mehr zu sich nimmt, oder nehmen kann, muß es zwangsernährt werden, am besten mit einer feinen

Sonde, wie sie für kleine Hunde oder Katzen, benützt wird. Hilfreich ist auch ein warmes Bad, es regt den Appetit und meistens auch den Darm an. Vielleicht konnten sich, bedingt durch die Nahrungsverweigerung oder den Winterschlaf, Würmer oder andere Parasiten ausbreiten, die dem Tier jetzt zusätzlich ein Unwohlsein bereiten. Besser ist, man bringt das Tier zu einem erfahrenen, fachkundigen Tierarzt, der sich mit Schildkröten auskennt. Ist ein sonst gesundes Tier im Frühjahr etwas appetitlos, reicht ein Tropfen Vitaminsaft, der mit einer Pipette einfach ins Maul gegeben wird, um den Appetit anzuregen. Viel Klee, Löwenzahn, Klatschmohn (*Papaver rhoeas*) und Lattichgewächse sowie Obst und, jedoch nicht täglich, reife Tomaten unterstützen uns bei dieser Frühlingskur.

Fette oder übergewichtige Schildkröten

Falsch ernährte Schildkröten sind zwar recht schwer, man erkennt diese Fehlernährung an den dicken Speckpolstern, vor allem zwischen Kopf und Vorderbeinen. Manche Tiere sind so fett, daß sie den Kopf nicht einziehen können. Wer gesunde Schildkröten möchte, füttert sie nicht mit Nudeln, Hunde- oder Katzenfutter, auch keine Pallets, nur Grünfutter, Obst, Gemüse oder gutes Heu. Falsches Futter ist die Ursache für die Höckerbildung und Krankheiten, wie Gicht. Falsche Ernährung führt schnell zu Mangelerscheinungen. Die Tiere magern ab, nicht aus Futtermangel, sondern aufgrund von Verdauungsstörungen und sterben, wenn nicht schnell Abhilfe geschaffen wird. Manche Tiere sind schon so an Fleischnahrung gewohnt, daß sie keinen Salat mehr anrühren, ja jegliches Grünfutter ablehnen. Wenn man einem über lange Zeit falsch ernährten Tier, für ein oder zwei Tage nur Klee oder Löwenzahn vorsetzt, wird es diesen fressen.

Eine erwärmte, gesunde, richtig ernährte Schildkröte, egal in welchem Alter, läuft aufrecht und gerade, wobei der Panzer beim Gehen, den Boden nicht berührt. Der Kot sollte fest und kompakt sein. Normal ist, wenn die Schildkröte mit dem Urin zusammen eine weiße Flüssigkeit abgibt. Ist diese mit dem Urin abgegebene Flüssigkeit längere Zeit granulatartig oder fehlt ganz, liegt ein Ernährungsfehler vor, der schnellstens reguliert werden muß, ehe es für die Schildkröte zu spät ist.

Schildkrötenbabys sind wie kleine Kinder, auch diese erhalten mehrmals täglich Nahrung. Sie haben einen kleinen Magen, können also nie soviel auf einmal fressen wie große Tiere, deshalb legen sie oft eine Pause ein, um dann wieder auf Nahrungssuche zu ge-

Hier eine kleine Gewichtstabelle von unseren Tieren vom Herbst 1995, Frühjahr 1996, Sommer 1996

Weiblich Adult	Rasse	Okt. 1995 Gramm	April 1996 Gramm	Aug. 1996 Gramm
Alma	*T.h.h.*	639	638	762
Berta	*T.h.b.*	1882	1804	1944
Chiara	*T.h.b.*	1342	1304	1426
Mina	*T.g.i.*	1030	1078	1218
Nera	*T.h.b.*	1356	1308	1400
Sardi	*T.h.h.*	857	832	1004
Timi	*T.h.b.*	666	649	928
Wilma	*T.h.b.*	1669	1636	1950
Zoppi	*T.h.h.*	747	729	877
Männlich Adult				
Fede	*T.h.h.*	747	666	
Fido	*T.h.h.*	876	806	
Fritz	*T.h.b.*	952	987	
Paul	*T.h.b.*	1036	954	
Peter	*T.h.b.*	952	915	
Rudi	*T.h.b.*	1480	1540	
Rambo	*T.g.i.*	1001	996	
NZ + Semi				
Dick	*T.g.i.* x *T.m.*	304	305	485
Doof	*T.g.i.* x *T.m.*	291	283	455
Hänsel	*T.m.*	114	118	157
Gretel	*T.m.*	124	132	284
Überwintert im Haus mit 6 Wochen Winterschlaf				
NZ 95	*T.h.h.* (F)	14,2	49	73
NZ 95	*T.h.h.* (Sardi)	14,1	30	45
NZ 95	*T.h.h.* (Sardi)	16,6	33	59

hen. Findet das Jungtier kleine Nahrung oder nur sehr wenig wird es schwach und ist zum Streben verurteilt. Man sollte daher für alle Tiere immer etwas mehr Futter anbieten als gefressen wird! Beachten sollte man auch, daß nicht jedes Tier über das angebotene Futter herfällt, manche verschlafen regelrecht die Zeit kommen sie zu spät zum Futterplatz, ist dieser vielleicht schon leer oder mit Urin und Kot verschmutzt. Geschieht dies mehrere Tage hintereinander, kann dies für ein schon etwas schwaches Jungtier den Tod bedeuten, zumindest bleibt es im Wachstum zurück. Manche Halter sind der Meinung, man muß Schildkröten karg halten. Mit Klee, Feldsalat, Löwenzahn, kann sich keine Schildkröte überfressen. Jedes Tier verweigert Nahrung, wenn es satt ist.

Jeder Halter sollte deshalb von Zeit zu Zeit seine Tiere wiegen, die Daten festhalten und vergleichen. Dieses gilt besonders vor und nach dem Winterschlaf.

Wer sich nach diesen Daten richtet, muß wissen, daß unsere Tiere sich immer im Freiland aufhalten. Sie werden von uns gefüttert, finden jedoch in ihren Gehegen auch anderes Futter, das wir im Frühjahr einsähen und einpflanzen unter anderem Ackersalat, Klee (*Trifolio repens nano bianco*), Rucola, Salatgemisch (lattughino radichetta), darunter Radiccio und Löwenzahn, Raps, Radieschen.

Es gibt je nach Jahreszeit Erdbeeren, Aprikosen, Kirschen, Äpfel, Birnen, frische Feigen, Wasser – oder Honigmelonen. Man sollte jedoch nur frisches **reifes** Obst, kein Abfallobst oder faules Obst anbieten. **Merke: Schildkröten sind keine Abfallverwerter!**

Bei uns richtet sich die Zusammensetzung der Schildkrötennahrung nach dem jahreszeitlichen Angebot. Schon im Frühjahr gehen wir auf Wiesen und an Wegränder, – möglichst keine Verkehrsstraßen – um zarte, frische Mohnpflanzen, Klee, Löwenzahn und andere Leckerbissen für unser Tiere zu sammeln. (**Bitte darauf**

achten, daß die Wegränder nicht mir Unkrautvertilgungsmittel gespritzt werden).

Sind die Futterpflanzen welk, werden sie von unseren Tieren nicht mehr gefressen. Es heißt also täglich frisches Futter zu holen. In manchen Büchern steht, man soll einmal pro Woche einen Hunger- oder Fastentag (Diättag) einlegen. Dies finden wir bei einer Freilandhaltung völlig überflüssig. Bei schlechtem Wetter fressen die Tiere nur wenig oder nichts. Bekommen die Tiere dann noch wenig Futter, sitzen sie teilnahmslos in einer Ecke um keine

Futtertabelle:

Pfefferknöterich (*Polygonum hydropiper*)
Dorfgänsefuß, Guter Heinrich (*Chenopodium bonusheinricus*)
Klatschmohn (*Papaver rhoeas*)
Kriechendes Fingerkraut (*Potentilla reptans*)
Echte Winterkresse, Barbarakraut (*Barbarea vulgaris*)
Ackerrettich, Hederich (*Raphanus raphanistrum*)
Feldklee (*Trifolium campestre*)
Weißklee (*Trifolium repens*)
Rotklee (*Trifolium pratense*)
Breitwegerich (*Plantago major*)
Spitzwegerich (*Plantago lanceolata*)
Jakobsgeiskraut (*Senecio jacobaea*)
Gemeines Geiskraut (*Senecio vulgaris*)
Gemeiner Huflattich (*Tussilago farfara*)
Gemeine Kuhblume, Gemeiner Löwenzahn (*Taraxacum officinale*)
Herbstlöwenzahn (*Leontodon autumnalis*)
Gemeines Ferkelkraut (*Hypchoeris radicata*)
Kohlgänsedistel (*Sonchus oleraceus*)
Ackergänsedistel (*Sonchus arvensis*)
Kleines Habichtskraut (*Hieracium pilosella*)

Testudo graeca ibera Rambo und Mina

Energie zu verschwenden. Unsere Tiere hingegen sind immer auf Wanderschaft, ausgeruht wird nur mit vollem Magen, bei großer Hitze oder morgens wenn sie noch nicht richtig aufgewärmt sind.

Diese Mohnpflanzen gibt es bei uns meist schon Ende Februar oder März. Kurz nach dem Winterschlaf, schmecken ihnen diese zarten Pflanzen besonders gut. Einige dieser Kräuter wachsen davon auch in den Gehegen, jedoch nicht sehr lange!
Eine kleine Futtertabelle, was unser Tiere sehr gerne fressen, oder was sie in einem natürlichen Habitat auch finden würden, findet sich auf S. 64.

Damit sich die stark abgefressenen Futterarten wieder erholen oder frisch gesäte Samen etwas anwachsen können, grenzen wir oft für einige Zeit diesen Platz mit Holzbrettern ein. Danach benehmen sich unsere Tiere wie Rasenmäher. Schildkröten sind nicht sonderlich begeistert von einem englischen Rasen.

Wer es gut mit seinen Tieren meint, wählt für diese lieber eine Naturwiese, mit viel Klee, was den Tieren außerdem noch schmeckt, findet man in der Futtertabelle. Es gibt kein Unkraut, es gibt nur unerwünschte Gräser! Vielleicht ist genau dieses „Unkraut" eine willkommene, dazu noch sehr gesunde Abwechslung im Speiseplan einer Schildkröte.

Wir haben gesunde gut ernährte Schildkröten getroffen, die der Halter noch nie gefüttert hat, dafür wurde ihnen der freie Zugang zum Gemüsegarten erlaubt! Diese Selbstbedienung besteht aus Bohnen, Erbsen, Salat, Tomaten, Weißkraut all das wird gerne verspeist! Der Halter sagte uns, die Schneckenplage sei zwar behoben, jedoch genau soviel Gemüse „angefressen" wie vorher.

Schildkröten urinieren meist während des Fressens. Oft legen sie dabei noch Kot ab. Daß sie dabei das angebotene Futter verschmutzen, ist völlig normal. Vielleicht sagt ihnen der Instinkt, wo du was gutes zu fressen findest, dünge es gut, damit das Futter nachwachsen kann oder es ist einfach ein allzu normales Bedürfnis.

Normal ist auch, daß sich die Tiere auf das angebotene Futter setzen, dies ist meist der Fall, wenn andere Artgenossen am Mahl teilnehmen wollen. Oft reicht es, wenn das angebotene Futter nur leicht verschmutzt ist, dieses für kurze Zeit in einen Eimer mit frischem Wasser zu legen, danach gut abspülen.

Wir säubern täglich den Freßteller und die Badebecken der Schildkröten. In jedem Gehege – es sind in der Zwischenzeit acht – stehen flache Tonteller. Diese haben je nach Gehege und Größe der Tiere einen Durchschnitt von 22–28 cm.

Wir bieten das Futter am frühen Morgen an. Nach der ersten Aufwärmphase wird gefressen, meist weckt dies den Futterneid und Appetit der Artgenossen. Aus diesem Grunde ist eine Gruppenhaltung von Vorteil. Ist die richtige Körpertemperatur erreicht, geht es mit gesundem Appetit ans Futter. Schlecht ist, wenn ein Tier Hunger hat, aber nichts zu fressen findet oder das angebotene Futter schon mit Kot und Urin verschmutzt ist. Wir sind deshalb übergegangen, nach einiger Zeit (ca. 2 Stunden) nachzufüttern. Bei Bedarf das nur leicht verschmutzte Futter noch einmal zu waschen.

Wer männliche und weibliche Tiere, vielleicht aus Platzmangel zusammen hält, sollte besonders darauf achten, daß die weiblichen Tiere bei der Futteraufnahme nicht zu kurz kommen.

Unsere männlichen Tiere fressen in wenigen Minuten zum Beispiel einen halben Kopfsalat, 2–3 Tomaten, eine Gurke oder 250 Gramm Erdbeeren, bis ein weibliches Tier, durch die ständigen Belästigungen der Männchen, etwas fressen kann, ist nichts mehr da. Einige unserer Männchen erscheinen, an heißen Tagen kurz vor Sonnenuntergang, um alles was noch übrig ist in aller Eile zu ver-

Bastis: Dick & Doof (Kreuzung zwischen *Testudo graeca ibera* und *Testudo marginata*)

Berta und Rudi (*Testudo hermanni boettgeri*)

schlingen. Vorher haben sie keine Zeit, da muß man kämpfen und streiten, schlafen oder klettern. Wer nichts frißt, hat keine Kraft. Schildkröten fressen im Sommer für den Winter.

Wer zu wenig Nahrung und Vitamine über den Sommer aufnimmt, geht schon mit Untergewicht und Mangelerscheinungen in die Winterruhe (von der man auch bei uns nie weiß, wie lange sie dauert). Wird ein Tier dann noch bei falschen Temperaturen (z. B. in einem warmen Keller) gehalten, nimmt es stark ab. Es kann nicht schlafen und verbraucht dadurch seine Energiereserven.

Hat eine Schildkröte über den Winter abgenommen und erhält im Frühjahr und Sommer wenig zu fressen, kann sie ihr niedriges Gewicht vielleicht halten, nimmt aber bestimmt nichts zu. Geschieht dies mehrere Jahre hintereinander, bedeutet dies für das Tier den Tod. Ein weibliches Tier gibt diesen Futter- und Vitaminmangel auch an die Nachkommen weiter.

So manche Schildkröte wird mit Katzen in einer Wohnung gehalten. Die Tiere fressen aus Hunger auch Katzennahrung, was jedoch nicht gerade gut für den Aufbau des Panzers (Höckerbildung) ist. Dieses Futter allein reicht nicht für eine jahrelange gesunde Aufzucht aus. Das Tier stirbt meist noch in jungen Jahren durch falsche Ernährung und Mangelschaden.

Wird jedoch eine abwechslungsreiche Nahrung angeboten, fressen die Tier nur das, was sie gerade mögen. Es ist wie in der Natur, dort gibt es eine richtige Auswahl an verschieden Kräutern. Wichtig ist, daß man seine Tiere kontrolliert, um zu sehen, ob sie fressen und was sie fressen.

Natürlich verderben die Tiere einiges vom angebotenen Futter, was aber keinen Halter auf die Idee bringen sollte, das Futter knapp zu halten oder nichts anzubieten, damit das Gehege immer sauber und aufgeräumt ist.

In der freien Natur suchen sich die Tiere die Futterplätze zur Nahrungsaufnahme selbst. Finden sie nichts zu fressen, suchen sie sich einen neuen Nahrungsplatz. Da die Tiere über einen ausgeprägten Geruchssinn verfügen, finden sie sich in der Natur gut zurecht. Wir legen oft noch einen Leckerbissen wie Aprikosen, Melonenstücke abends (19–20 Uhr) ins Gehege, denken die Tiere schlafen längst; plötzlich aber sitzen vier oder fünf Tiere draußen und fressen.

Wie ist das in einem Gehege in dem nichts angeboten wird?

Die Tiere wollen ausbrechen. Der normale Instinkt sagt: Du mußt etwas zum Fressen suchen. Wenn die Tiere merken, daß jeder Versuch zwecklos ist, werden sie apathisch und setzten sich in eine Ecke. Die Tiere wollen und dürfen keine Energie (Fettreserven) verschwenden, solange Nahrungsmangel herrscht. Hält dieser Nahrungsmangel das ganze Jahr über an, wird das Tier immer schwächer. Bei weiblichen Tieren kommt noch die kraftraubende Arbeit der Eiablage dazu. Erhalten weibliche Tiere keine ausreichende Nahrung, legen sie kleine Eier ab, aus denen dann schwache Schildkrötenbabys schlüpfen, wenn überhaupt etwas schlüpft!

Es kann vorkommen, daß ein schwaches weibliches Tier dann in einem oder mehreren Jahren keine Eier ablegt.

Timida und Zoppa erging es ähnlich, sie kamen beide mit starkem Untergewicht zu uns.

Schildkröten, die bedingt durch Nahrungsknappheit oder einer falschen Pflege abgemagert sind, muß Nahrung eingegeben werden. Ein Kapitel für sich. Es reicht nicht zu sagen, mach schön den Mund auf. Am besten geht es zu zweit. Ich drehe das Tier kurz auf den Rücken, so streckt es den Kopf heraus. Den Kopf halte ich, nicht allzu fest, zwischen Daumen und Zeigefinger. Mein Mann versucht vorsichtig mit dem Fingernagel den harten Schnabel zu

Testudo hermanni boettgeri, von links: Paul, Peter und Fritz

Testudo hermanni boettgeri, von links: Chiara, Wilma und Nera

von links: Paulin (*Testudo h. hermanni*, aus der Toskana),
Alma (*Testudo h. hermanni*, von Korsika)
und Sardi (*Testudo h. hermanni*,von Sardinien)

Hänsel und Gretel (*Testudo marginata*)

öffnen. Meist geht dies von allein, wenn die Schildkröte spürt, daß sie den Kopf nicht einziehen kann, beginnt sie zu fauchen.

Das ist der Moment, in dem man mit einer Pipette oder einer Spritze **ohne Nadel** die Nahrung einführen kann. Nicht alles auf einmal, sondern portionsweise. Die Prozedur sollte jedoch schnell gehen, denn es ist Streß für das Tier. Je länger man zum Eingeben braucht um so widerspenstiger wird das Tier. Als Nahrung eignet sich beispielsweise Karottenbrei, wie er für Säuglinge verwendet wird. Man kann auch Mehrkornbrei kaufen, der jedoch nicht mit Milch, sondern mit Wasser angerührt werden muß. Natürlich muß man darauf achten, daß in dem Brei kein Zucker enthalten ist. Nachdem Einflößen, sollte man das Tier sofort ans Futter (Klee, Löwenzahn) setzten, die meisten beginnen, wenn sie nicht zu schwach sind, danach selbständig mit der Nahrungsaufnahme. Werden weibliche und männliche Tiere zusammen in einem Gehege gehalten, sitzen die männlichen Tiere meist um den Freßplatz, so daß sich kein weibliches Tier, ohne belästigt zu werden, nähern kann. Aus diesem Grunde und um Verletzungen zu vermeiden ziehen wir eine getrennte Haltung vor. Sind weibliche und männliche Tier nicht getrennt, können sich weibliche Tiere weniger sonnen, fressen und bewegen. Wenn die Mutter nichts frißt oder nichts zu fressen hat, sieht man das ihren späteren Schildkrötenkindern an. Die Eier sind meist kleiner, die Babys dann auch! Diese Jungtiere, haben wir beobachtet brauchen viele Jahre, um sich normal zu entwickeln, erreichen auch die Geschlechtsreife sehr viel später als Jungtiere von gut genährten Müttern. Bestimmt ist es auch sehr lästig, wenn man seine Ruhe haben möchte und einem ständig in die Beine oder in den Kopf gebissen wird. Was muß das für ein Gefühl sein, wenn jemand einem mit so viel Ausdauer im Nacken sitzt. Da vergeht einem alles, auch das Fressen! Daher bestimmen wir, wann und wie lange die Paarungszeiten sind. Dazu müssen wir sagen, daß nach einer männerlosen Zeit sich unsere „Damen“ sehr viel freundlicher gegenüber dem rauhen männlichen Geschlecht benehmen.

Der Erfolg: Meist sind dann alle Eier befruchtet! Leben nur weibliche Tiere zusammen in einem Gehege, sitzen sie nicht nur in der Hütte, sondern sonnen sich oft, haben Zeit für einen Spaziergang, fressen einiges mehr. Sie beriechen alles, sitzen manchmal in Gruppen zusammen. Ab und zu gibt es jedoch auch unter den Damen Rangstreitigkeiten. Dies geschieht meist wenige Tage vor der Eiablage. Gestritten wird oft nur ums Futter oder den besten Schlafplatz in der Hütte.

Nie Findet man den richtigen Platz

Unsere Gehege. Im Vordergrund: Babygehege mit Netz

Wilma *(Testudo hermanni boettgeri)* auf dem Legehügel

Suche nach einem Schattenplatz

Aufwärmphase

Dazu muß man wissen, daß Schildkröten eine bestimmte Körpertemperatur haben müssen, um überhaupt verdauen zu können. In einigen Büchern wird diese Temperatur mit 30° bis 32° C, in anderen höher angegeben, die richtige Temperatur bestimmt jedoch jedes Tier selbst. Ist diese Temperatur erreicht, geht das Tier auf Futtersuche. Vielleicht wird die Temperatur von dem einen oder anderen Tier schneller erreicht oder das eine oder andere Tier benötigt weniger Wärme. Deshalb sollte das Futter immer morgens rechtzeitig angeboten werden, nicht erst am späten Nachmittag, wenn die Temperatur wieder sinkt. Unter unseren Schildkröten gibt es wie beim Menschen Frühaufsteher und Langschläfer, so manches Tier sitzt im Hochsommer schon um 8 Uhr und noch früher in der Sonne, andere kommen erst gegen 9 Uhr aus der Hütte. Schildkröten sollten jedoch immer eine Möglichkeit zum Aufwärmen haben. Sie brauchen jedoch auch einen Schattenplatz oder zumindest eine kühle Ecke, in die sie sich zurückziehen können.

Die Tiere haben einen natürlichen Instinkt, wann und wie lange sie in der Sonne sitzenbleiben können, ohne sich selbst gesundheitlich zu schaden. Tiere, die keinen Schatten haben und ständig der prallen Sonne ausgesetzt sind können sich überhitzen und daran sterben, dies geschieht besonders schnell bei Jungtieren, vor allem bei Babys.

Da wir einen eigenen Brunnen haben, können wir den Tieren ständig frisches Quellwasser bieten. Die „Badewannen", sie dienen gleichzeitig als Tränke, werden mehrmals täglich gereinigt und mit frischem Wasser gefüllt. An sehr heißen Tagen sind die Schüsseln in wenigen Stunden ausgetrocknet.

Testudo hermanni boettgeri., Peter und Paul

Alma (*Testudo hermanni hermanni* von Korsika) mit Behinderung am Bein

Bei den kleinen Tieren haben wir zusätzlich große Kieselsteine ins Wasserteller gelegt, so können die Tiere zwar baden und trinken aber nicht ertrinken. Mit dem Wachstum der Tiere werden Steine herausgenommen, so erweitern wir das „Badebecken".

Große und kleine Tiere sitzen oft längere Zeit in diesem Badebecken. Dieses Baden können wir meist an sehr heißen Sommertagen beobachten.

Wasserstellen von Schildkröten müssen ständig saubergehalten werden, auch wenn dieses manchmal schwerfällt. Beim Baden verschmutzen die Tiere das Wasser, diese Verschmutzung kann jedoch Krankheiten hervorrufen, besonders wenn ein Tier krank ist (Infektionsgefahr, Würmer), die anderen Tiere das verschmutzte Wasser trinken. Wird beispielsweise Kot, in dem sich Wurmeier befinden, im Wasser abgesetzt und ein anderes Tier trinkt das Wasser kann es geschehen, daß das Tier auch Würmer bekommt.

Aufzucht von Jungtieren

Bei frisch geschlüpften Schildkröten, können wir beobachten, daß sie schon kurz nach dem Schlüpfen feinen Sand oder Erde fressen.

Wir geben deshalb für Klein und Groß ein bis zweimal pro Woche pulverisierte, zerstoßene Sepiaschalen, Muschelkalk und Eischalen über das Futter.

Zum Knabbern legen wir in allen Gehegen Sepiastücke aus, wie sie Vogelzüchter für das Schärfen der Schnäbel in die Käfige hängen. Sind die Stücke sehr groß, werden sie etwas zerkleinert. Besonders Jungtiere nagen mit Hingabe daran, wie kleine Hunde an einem Knochen.

Wer möchte, kann frische Hühnereischalen, Sepiastücke und leere Schneckenhäuser in einer Kaffeemühle mahlen oder mit einem Mörser stampfen und über das Futter streuen.

Fleisch, vor allem rohes Fleisch, fressen die Tiere zwar gerne, ebenso wie Hunde- oder Katzennahrung, sollte aber nicht gefüttert werden, da es die Höckerbildung und den Wurmbefall fördert.

Etwas Katzennahrung (einmalig und nur sehr wenig) kann verwendet werden, um einem Schleckermäulchen Kalk und Vitamine zuzuführen.

Muß man, aus irgend einem Grunde einer kleinen Schildkröte etwas oral eingeben, wie Wurmmittel, Vitaminsaft, etc. ist dies nicht so einfach wie bei adulten Tieren. Dazu habe ich eine besondere Methode entwickelt, die sich einfach und schnell durchführen läßt.

Wenn die Kleinen erst den Kopf eingezogen haben, ist es recht schwierig, diesen wieder zum Vorschein zu bringen!

Wir setzen den kleinen Patienten in lauwarmes Wasser, das bis zum Hals reicht, so daß das Tier, um nicht zu ertrinken, den Kopf

Plastron von Sardi
(*Testudo h. hermanni,* von Sardinien)

Wilma (*Testudo hermanni boettgeri,* aus Albanien)

Alma
(*Testudo h. hermanni*
von Korsika)
mit Behinderung am Bein

Plastron von
Rudi und Berta
aus Kalabrien

weit aus dem Panzer streckt. Mit geübtem Griff wird nun der Kopf fest gehalten und das Maul geöffnet. Es reicht, den Kopf leicht festzuhalten, mit dem Fingernagel wird das Maul aufgemacht und das entsprechende Mittel eingegeben. Am besten eignete sich eine Spritze **ohne Nadel**, wie sie Diabetiker verwenden. Wir hatten schon kleine Patienten, die beim Vorhalten der Spritze mit Vitaminsaft in diese Spritze beißen wollten.

Die meisten Schildkröten haben Würmer, diese sind für die Tiere meist keine allzu große Plage, wenn sie nicht überhand nehmen. Wir haben das Wurmproblem zuerst auf unsere Art gelöst.

Einen Topf mit geschälten, frischen, vollreifen Tomaten habe ich zusammen mit 20–30 Zehen etwas zerkleinerten Knoblauchs wenige Minuten gekocht, nach dem Abkühlen, wird diese spezielle „Tomatensoße“ in alle Teller für die Tiere verteilt. Dabei mußten wir nur acht geben, daß auch jedes Tier etwas davon abbekommt. Einfacher und vor allem viel sicherer geht es mit dem vom Tierarzt nach der Kotuntersuchung verschriebenen Wurmmittel.

Eine Wurmkur wird am besten im Frühjahr oder Sommer durchgeführt, wobei man das Mittel (die Dosis richtet sich nach dem Gewicht des Tieres) dem Tier ins Maul gibt, bei kleinen Tieren kann es als Pulver über das Futter gestreut werden.

Diese Prozedur muß allerdings nach zwei Wochen wiederholt werden. Sonst hat die Wurmkur keine richtige Wirkung, da die Eier der Würmer eventuell im Körper bleiben und so die Wurmplage wieder ausbricht. Besser ist es bei einer notwendigen Wurmkur, den zuständigen Tierarzt zu befragen, er weiß bestimmt einen Rat.

Eine Schildkröte wird bei einem normalen Wurmbefall keine gesundheitliche Störung zeigen. Frißt die Schildkröte jedoch enorm viel und nimmt nicht zu, sondern ab, dann wird es allerdings Zeit, das Tier mit einem Wurmmittel zu behandeln.

Wird der Wurmbefall zu stark, so daß das Tier Bauchschmerzen davon bekommt, sitzt es in einer Ecke und frißt nicht mehr.

Es ist nicht falsch, bei einer Gruppenhaltung von mehreren Tieren jedes Jahr eine Wurmkur durchzuführen.

Wir selbst haben festgestellt, daß große und kleine Tiere die größeren Streßsituationen wie Reisen, Umzug, Gehegewechsel ausgesetzt werden, mit einem starken Befall an Würmern reagieren. Ein Gehegewechsel sollte aus diesem Grunde immer im Frühjahr oder Frühsommer erfolgen, so daß die Tiere sich noch etwas erholen und nach einer Wurmkur noch mindestens 3–4 Wochen Futter aufnehmen können. Wenn ein Tier kurz vor der Winterruhe noch einen erhöhten Befall von Würmern hat und dieser nicht schnellstens behandelt wird, kann das während des Winterschlafs den Tod bedeuten. Am besten wird dann der gesamte Bestand entwurmt, erst dann wird geschlafen. Aus diesem Grunde sollten vor allem Kinder, nach dem Kontakt mit Schildkröten sich die Hände waschen.

Jungtiere sind wie kleine, neugierige Kinder, finden an allem Gefallen. Das Unfallrisiko, etwa Ertrinken in einer Wasserschüssel oder Kletterübungen, bei denen sich die Tiere verletzen können, sollte vom Halter rechtzeitig einkalkuliert werden, um schlechte Erfahrungen zu vermeiden.

Was alle Schildkröten in jedem Alter und in jeder Größe dringend, ja sehr dringend benötigen, ist die natürliche Sonnenstrahlung. Da UV-Strahlen auch bei bedecktem Himmel die Erde erreichen, trifft man viele Schildkröten auch bei „schlechtem“ Wetter draußen an, wenn es ihnen nicht gerade zu kalt ist. Garten und Freiland sollte sooft wie möglich geboten werden. Halten sich kleine Schildkröten im Freiland auf, muß von Zeit zu Zeit eine Kontrolle erfolgen, damit kein Tier bei Kletterversuchen zu lange auf dem Rücken – vielleicht noch in der prallen Sonne – liegen bleibt.

Nera bei der Eiablage

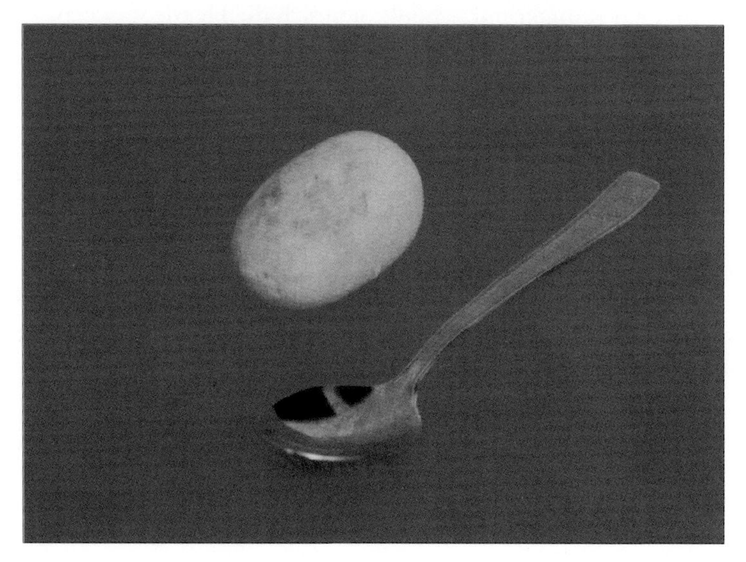

Wilmas Superei von 36 Gramm

Nachzucht von Sardi (rechts und links) und Alma (in der Mitte)

Nachzucht von Sardi (rechts und links) und Alma (in der Mitte)

Schildkröte nach einem Unfall: Beim Kletterversuch auf den Rücken gefallen

Kurz vor dem Ende der Winterruhe im Jahre 1996 haben wir von einem unerfahren Züchter, dem schon einige Jungtiere, durch falsche Haltungstemperatur im Winter (Garage) und falsche Ernährung gestorben waren, einige Jungtiere zur Kur in einem separaten Terrarium bis zum Frühjahr bei uns aufgenommen.

Wenige Tage nach dem wir die Jungtiere ins Freigehege umgesiedelt hatten, beobachten wir eines dieser „Pflegekinder“, – sie hatten ein separates Gehege – das ständig im Kreis läuft, dabei das Maul weit aufreißt, wie zum Schrei. Wir nehmen das Tier aus dem Gehege und sehen, daß die Kloake mit einem Stein verstopft ist.

Das Tier kann sich ohne Hilfe davon nicht befreien. Vorsichtig entfernen wir den vermutlichen Stein. Es war kein Stein, wie wir in der Zwischenzeit wissen. Die falsche Ernährung, bis zum Eintreffen bei uns, löste eine Nierenfunktionsstörung aus.

Jungtier mit seinem Nierenstein

Alle Schildkröten scheiden zusammen mit dem Urin eine weiße Absonderung aus. Durch falsches Futter kann diese Nierenabsonderung, wie in diesem Fall, große Steine bilden. Nach der Befreiung legte das Tier sofort normal Kot ab.

Weibliche Tiere auf dem Legehügel

Testudo graeca ibera, Rambo

Rambo bei der Fütterung mit seiner Liebligsspeise: Erdbeeren

Rambo und Mina (T.g.i.) bei der Kopulation

Welche Temperatur ist richtig?

Unsere *Testudo graeca* Unterarten (*Testudo graeca graeca, Testudo graeca ibera*) verlassen oft die Hütte bei einer Temperatur von 10 bis 15 °C nach einer Nachttemperatur um Null Grad, manchmal sogar nach einem kräftigen Reif, mit anschließendem Sonnenschein, um sich trotz Kälte ausgiebig zu sonnen. Dieses kommt bei uns schon im Februar und manchmal noch im November vor. Meist sitzen die Tiere neben dem Eingang, um bei erreichter Wärme sofort in der Hütte unter dem schützenden Laub zu verschwinden. Wir haben ein *Testudo graeca graeca*-Weibchen, das am 3. Dezember noch in der Sonne sitzt, alle anderen schlafen schon längst. Es ist also nicht so einfach, für jedes Tier die richtige Überwinterungstemperatur zu finden. Bei uns und in der freien Natur regelt dies jedes Tier selbst. Kurz vor Weihnachten sitzt unser *Testudo graeca*-Weibchen schon wieder in der Sonne, nur der kalte Nebel der sich an manchen Tagen über die Poebene legt, hält sie für einige Tage ab, die Hütte zu verlassen. Dieses Weibchen gräbt sich auch nicht ein, wie die anderen Tiere, sondern steckt nur den Kopf in das in der Hütte reichlich vorhandene trockene Laub. Die *Testudo hermanni hermanni*- und *Testudo h. boettgeri*-Tiere dagegen haben sich zu dieser Zeit schon bis 20 cm tief eingegraben. In den ersten Februartagen sitzt dieses Tier schon wieder bei Tag vor ihrer Hütte in der Sonne.

Langsam bekomme ich nun Angst und frage mich, wie lange sie dies noch gewichtsmäßig aushält, vor allem, ob sie gesund ist. Sie kann ja nichts fressen, dazu ist es zu kalt. Kurzerhand greife ich zur Selbsthilfe. Eine große Plastikwanne wird in unser Büro gestellt, mit einem Karton ausgelegt, danach gefüllt mit Laub und Moos.

Chiara mit ihren Nachzuchten von 1992–1995

7 Nachzuchten von 1992 im April 1996

An einer Ecke wird eine Lampe in die Wanne gehängt, darunter setzte ich das Tier ab. Sie bleibt darunter bis zum Abend sitzen, versteckt sich dann im Laub. Nach zwei Tagen nimmt sie jedoch das angeboten Futter wie Rucola, Klee und Löwenzahn an. Wir behalten bis Ende März das Tier im Haus, dann bringen wir es in das Gehege zurück.

Anscheinend hat ihr der selbstgewählte kurze Winterschlaf (ca. 4 Wochen) überhaupt nicht geschadet. Wieder einmal benimmt sich eines unserer Tiere nicht so, wie in Büchern beschrieben.

Auch wir legen uns deshalb auf keine Daten fest, wie lange ein Tier Winterschlaf machen muß, die Dauer bestimmt das Tier in der Natur selbst. Kürze und Länge des Winterschlafes hängen immer vom Wetter ab, dazu zählt auch das „künstliche" Wetter, das der Mensch in einem Terrarium oder Keller für die Tiere herstellt.

Dieses Erlebnis zeigt uns, daß wir noch viel lernen und studieren müssen um alle unsere Tiere richtig zu verstehen. Wir fragen uns, brauchen *Testudo graeca* weniger Winterschlaf oder ist unser Tier ein Einzelfall? Durch die neue CITES-Verordnung haben wir Platzmangel. Da man keine Tiere ohne CITES-Papiere abgeben darf, platzt unsere Gehege bald aus den Nähten. Wie soll man diese Menge von Tieren artgerecht unterbringen? Da sind die 9 Jungtiere von 1992, drei davon sind in der Zwischenzeit zu kleinen Männern gereift! Diese Spitzbuben beginnen schon im Sommer 1994 bei ihren Schwestern und den Müttern aufzusitzen. Da die neun unsere größten Jungtiere sind, halten wir sie, aus Platzmangel, mit den Müttern zusammen. Die drei Rowdies werden nun jedoch langsam frech und so werden sie ins Männergehege umquartiert, dürfen mit den Männchen auch den Winterschlaf verbringen. Ihre sechs Schwestern bleiben bei den weiblichen Tieren, diese jedoch erhalten nun zur Abwechslung noch die 18 Jungtiere von 1993 dazu!

Die Mütter sind alles andere als begeistert, von diesen ruhestörenden Wanderern! So ein großes Gehege muß von dieser Rasselbande natürlich in alle Richtungen zuerst erforscht werden. Wurde bis dahin das Klettern nur an den eigenen gleichaltrigen Schildkröten geübt, kann man das Klettern nun an seiner Mutter oder Tante üben, die davon alles andere als erfreut ist. Zieht die große Schildkröte bei dieser neugierigen Betrachtung auch noch den Kopf ein, muß der kleine Wicht nachsehen, wo der Kopf geblieben ist. Die 18 haben ein eigenes kleines Haus im Gehege jedoch ist es viel schöner bei den „großen" Schildis zu schlafen. Nur gut, daß die Panzer schon etwas härter sind, denn unter einer großen Schildi schläft es sich auch nicht schlecht. Quer zwischen diesen Großen ist auch noch ein Platz. Je enger je lieber, man schläft auch mit dem Kopf nach unten, wenn es nicht anders geht oder keiner Platz macht. Wir bekommen bei diesem Platzmangel Angst, es könnte sich ein Jungtier verletzen oder aus Versehen beim Fressen gebissen werden. Hoffentlich geht alles gut ab.

Nun ziehen die 25 Jungtiere von 1994 in den größeren Kindergarten um. Bis zum Beginn des Winterschlafes kommt ja noch der neue Jahrgang 1995 dazu! Uns wird es angst und bange.

Bis zum Umzug ins Hausterrarium halte ich die „Frischlinge" zuerst für eine Woche in einer großen Schachtel, die ich auf die Hütte vom Kindergartenhaus stelle. Zum Schutz vor der Sonne mit einem Schuhkarton als Haus versehen. Das Gehege ist zum Schutz mit einem Netz abgedeckt, darunter stehen nun auch die Neuen.

Nach einer Woche werden sie in den Kindergarten entlassen, wo sie viele Ausflüge zum Futter suchen unternehmen.

Das alles geht nur für eine kurze Zeit. Dann stellt sich für uns die Frage: Wohin mit den Tieren? Ja, wenn wir von der Behörde schon die CITES-Papiere hätten.

Es war wieder einmal keine Ausweichmöglichkeit vorhanden. Deshalb waren wir gezwungen, stundenweise an einigen Tagen und unter Kontrolle (wir zogen eine neue Mauer) die männlichen Tiere mit den weiblichen Tieren zusammen zu tun. *Testudo hermanni boettgeri* separat, *Testudo hermanni hermanni* separat. Für wenige Stunden müssen auch Rudi und Berta, zu ihren Artgenossen.

Rudi, seit fünfzehn Jahren Junggeselle, dreht angesichts der vielen Damen völlig durch, weiß nicht, welche er verfolgen soll, und trifft auf Chiara. Wir beobachten neben der Arbeit, wie er sie einige Zeit verfolgt.

Chiara, schon immer eine resolute Schildidame hat diesen aufdringlichen Kerl satt, den sie schon zweimal auf den Rücken geworfen hat und der trotzdem nicht aufgibt. Sie will sich in der Hütte verstecken, Rudi hinterher.

Auch mir wird nun das ganze zu bunt und zu hektisch, ich beschließe kurzerhand, dem Streß der armen Chiara ein Ende zu bereiten. Ich öffne die Kiste, um Chiara herauszunehmen und alle „Männer" bis zum Ende der Bauarbeit in der Hütte einzusperren.

Diese wenigen Minuten, um ein geeignetes Brett und einen Stein zu holen, reichten aus. Es war schon zu spät. Rudi hat sich in seinem Verfolgungswahn am scharfen Carapax von Chiara (die in dieser Position den Kopf nicht ausstrecken kann), in nur wenigen Sekunden, seinen Hornnagel abgeschnitten! Sofort wird seine Verletzung mit Spezialwundmittel und Penizillinpulver behandelt, er muß danach allein in einem Karton den Rest der Zeit verbringen.

Der Nagel ist weg! Wächst auch nicht mehr nach. Wir haben seitdem ein *Testudo h. boettgeri*-Männchen ohne Hornnagel!

Um noch mehr über Landschildkröten zu erfahren, sind wir im Frühjahr 1994 in die DGHT eingetreten. (Adresse, siehe am Ende des Buches!)

In der Zwischenzeit haben wir Verbindung mit Tierärzten, Zoologen, Herpetologen, Studenten der Tiermedizin und vielen Züchtern. Wir lernen bei jedem Besuch, Brief oder Ratschlag von Freunden. Viele lernen, wie sich die Tiere bei uns in der Freilandanlage verhalten. Die Tierliebe zum „harten Panzer" verbindet, kennt keine Staatsgrenzen.

Viele Halter von Landschildkröten halten ihre Tiere, egal welche Arten, zusammen. Unsere Erfahrungen der letzten Jahre beweisen uns, daß eine getrennte Haltung der verschiedenen Arten, besonders zwischen männlichen und weiblichen Tieren nötig ist.

Wir halten deshalb alle weiblichen Tiere – egal welche Rasse oder Art – zusammen. Die Männchen dagegen getrennt.

Wir lernen einen Züchter kennen, der mehrere Muttertiere von *Testudo hermanni boettgeri, Testudo marginata* aus Sardinien und *Testudo graeca ibera* besitzt, mit seinen Tieren auch schon einige Zuchterfolge hatte.

Er hält seine Tiere zwar getrennt, jedoch ist der Zaun mit so vielen Löchern versehen, daß die Tiere ohne große Mühe von einem zum anderen Gehege wandern können. Da er berufstätig ist, werden die Tiere nicht wie bei uns ganztägig kontrolliert und überwacht.

Da wir für Rambo, unseren *Testudo graeca ibera*-Mann, nur ein eierlegendes Weibchen (Mina) haben, fragt mein Mann den Züchter, ob er von seinen *Testudo graeca ibera*-Jungtieren welche abgibt. Wir möchten diese selbst aufziehen, damit wir eine Kontrolle über die Ernährung haben.

Wir erhalten zwei Jungtiere, beide sollen zwei Jahre alt sein. Wenn wir Glück haben sind es zwei Weibchen. Das Geschlecht kann man bei jungen Tieren, besonders bei *Testudo graeca* und *Testudo marginata* nur sehr schwer bestimmen.

So haben wir unsere Gehege angelegt:

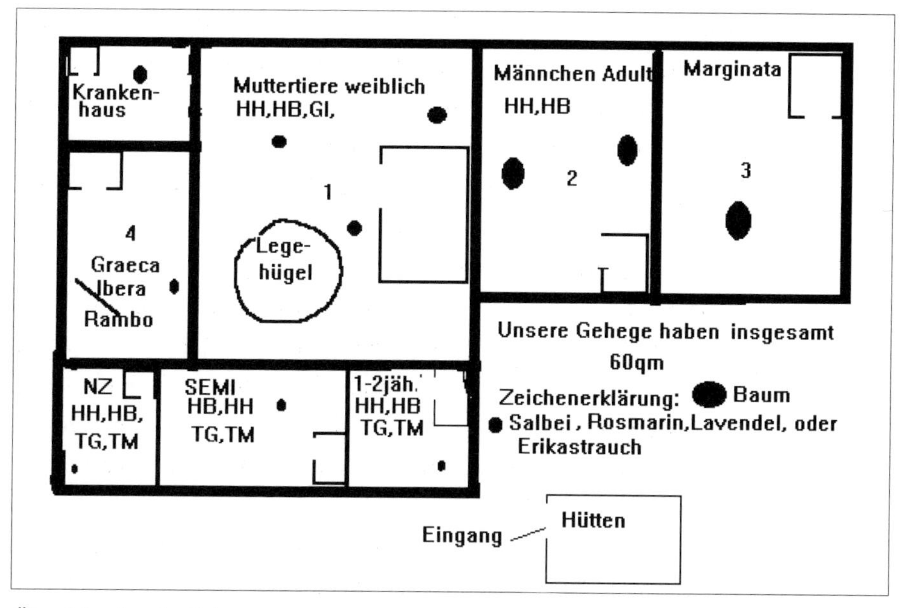

Übersicht über das Gehege

Was mir jedoch sofort komisch vorkommt, der Panzer (Carapax) der beiden Tiere ist grüngelb, wobei das Grün hervorsticht. Sie haben jedoch an den Hinterbeinen das untrügliche Merkmal der *Graeca*-Tiere, die beiden Warzen. Die Haut der Tiere ist gelb, Rambo unser *Testudo graeca ibera* Mann dagegen ist fast schwarz. Der Bauch (Plastron) ist bei den beiden Jungtieren **weiß**, zumindest sehr, sehr hell! Mir kam das seltsam vor! Bilder oder eine Beschreibung dieser Art oder Rasse fand ich in keinem Buch.

Wir fragen deshalb den Halter, ob es möglich sein kann, daß die beiden Mischlinge sind, er verneinte mit den Worten, daß ja die Tiere getrennt leben. Er schließt jedoch nicht aus, daß ab und zu einmal ein Tier in ein anderes Gehege wechselt. Das ist seiner Meinung nach nicht schlimm, da es ja nicht **dieselbe** Art ist! Von wegen! Heute wissen wir, daß der *Testudo graeca ibera* Mann einen „erfolgreichen" Abstecher bei den *Testudo marginata* Damen gemacht hat. Wir haben also zwei Bastarde erhalten! Vater *Testudo graeca ibera*, Mutter *Testudo marginata.* Diese beiden nennen wir Dick und Doof, da eines der Tiere ständig am fressen ist, das andere Tier seinen Bruder oder Schwester, was es tatsächlich ist können wir in 1-2 Jahren sagen, beim Fressen ständig beobachtet. Sie sind deshalb auch leicht zu unterscheiden. Dick wiegt vor dem Winterschlaf 1995 schon 304 Gramm, erwacht mit 305 Gramm im März, hat also nur ein Gramm abgespeckt. Doof, der viel weniger frißt, wiegt dagegen nur 291 Gramm im Herbst und nach dem Winterschlaf 283 Gramm. Wie wir sehen, wachsen Bastarde viel schneller als normale Tiere.

Dick wiegt im Sommer schon 485 Gramm, Doof dagegen nur 455 Gramm. Trotz des schnellen Wachstums kann man noch immer nicht erkennen, ob es Weibchen oder Männchen sind.

Jetzt ist auch meinem Mann klar, warum die Marginata Mutter einen so böse zugerichteten Panzer (Carapax) hat, dieses kommt von den Rammstößen des *Testudo graeca ibera*-Männchens. Ein so ruinierter Carapax kann, wenn kein zusätzliches Kalk- oder Sepiamehl gefüttert wird, dazu eine sehr strenge Trennung erfolgt, mit der Zeit das Ende für das weibliche Tier bedeuten. Noch waren wir uns nicht 100 %ig sicher, ob tatsächlich eine Kreuzung zwischen *Testudo graeca ibera* und *Testudo marginata* möglich ist. Wir fragen unseren Bekannten, der langjährige Erfahrungen mit seinen Tieren, darunter auch *Testudo marginata* und *Testudo graeca ibera* hat. Dieser bestätigt uns, daß auch bei ihm, vor einigen Jahren, ein *Testudo graeca ibera* Mann einmal über eine nur 30 cm hohe Mauer geklettert ist. Von diesem „Ausflug" besitzt er vier *Testudo graeca* Kinder, die, wie er sagt, genau so aussehen wie unsere!

Es heißt also **aufgepaßt** und **trennen**! Seit diesem Zwischenfall sind auch bei unserem Bekannten die Mauern zwischen den einzelnen Gehegen höher! Gespräche mit Zoologen, Doktoren und anderen erfahrenen Züchtern ergeben, daß auch diese zu 98 % sicher sind, daß sich Bastarde in der 2. oder 3. Generation meist nicht mehr Fortpflanzen können oder nur stark geschädigte Jungtiere schlüpfen.

Es tritt so zusagen eine naturbedingte Sterilisation ein. Viele dieser Jungtiere erreichen durch die Deformierung nicht die Geschlechtsreife, viele davon überleben ohne menschliche Hilfe nicht den ersten Winter.

Wie wichtig eine Trennung der Rassen, Arten und Unterarten ist wird uns immer wieder klar. Kreuzungen zwischen den Arten *Testudo hermanni* und *Testudo hermanni boettgeri* finden wir oft. Die Hälfte der abgelegten Eier sind jedoch unbefruchtet. Aus einem Gelege mit 6 Eiern sehen wir vier Schlüpflinge die wie die Mutter (*Testudo hermanni hermanni*) aussehen 2 wie der Vater (*Testudo hermanni boettgeri*).

Das Panzerhinterteil ist bei diesen Jungtiere wie wir sehen, besonders stark abgeflacht. Diese Tiere haben sich jedoch in der 1. Generation noch teilweise fortgepflanzt. Da keine Blutauffrischung erfolgte, wird die Fortpflanzung nun immer spärlicher. Aus einem Mischverhältnis der Eltern, den inzwischen geschlechtsreifen Kindern und Geschwister der 1. Generation abgelegten 44 Eier sind nur 12 Tiere lebensfähig geschlüpft. Diese Tiere sind sehr klein und alle haben eine Panzeranomalie in den Rückenschildern. Die Tiere sind sehr schwer einer Art oder Unterart zu zuordnen. Die Rükkenpanzer sehen aus wie bei *Testudo hermanni boettgeri*, der Bauchpanzer wie bei *Testudo hermanni hermanni.*

Je eine Nachzucht der Jahrgänge '92, '93, '94, '95

Todesursache: Fleischwunden

Eine der häufigsten Todesursachen sind Verletzungen, beispielsweise bei weiblichen Tiere, die durch die Hornnägel der Männchen während der Kopulation stark verletzt werden. Oft legen Fleischfliegen darin ihre Eier ab. Ein Tier wurde zu uns gebracht, es hat eine große Fleischwunde an der Kloake. Die Wunde ist voll von Madenwürmern und deren Eiern. Die Würmer haben schon die Innereien besetzt. Das Tier ist nicht mehr zu retten. In vielen Gehegen in Italien verenden jährlich viele weibliche Tiere, da die männlichen Tiere in der Überzahl sind. Futtermangel, Streß mit den männlichen Tieren, Streß bei der Eiablage (Störung durch andere Tiere), Untergewicht, Sonnenmangel ist die häufigste Todesursache der weiblichen Tiere.

So kommt eine Frau zu uns. Aus dem Auto holt sie ein adultes *Testudo hermanni boettgeri*-Weibchen. In ihrem Garten leben vier Landschildkröten, drei Männchen und dieses Weibchen. In ihrer Abwesenheit (Ferien), haben die Tiere zwar genügend Nahrung – freien Zugang zum Gemüsegarten – sind jedoch ohne Aufsicht. Die Männchen haben durch das ständige Aufsitzen, das weibliche Tier so stark verletzt, daß nur noch Fleischteile am Schwanzende herunter hängen. Die Frau brachte, nach ihrer Rückkehr aus den Ferien, das verletzte Tier sofort in die Zoohandlung, wo sie es vor Jahren als Jungtier gekauft hat, in der Hoffnung, daß dieser Mann ihrem Tier helfen kann. Er sieht sich das Tier und die schwere Verletzung an, nimmt die Schere und schneidet das herunterhängende Fleischteil ab. Mit dem Erfolg, daß die Schildkröte nun an den Hinterbeinen gelähmt ist. Da keine Genesung eintritt, entschließt sich die Frau das Tier zu einem normalen Tierarzt zu bringen, der jedoch hier mit seiner Schildkrötenweisheit am Ende war. Er gab dem Tier eine Vitaminspritze, nennt dann unsere Adresse mit dem Hinweis, uns das Tier zu zeigen. Schwach durch den Blutverlust, und die vielen Hungertage, empfehle ich, das Tier täglich 2–3 mal in ein lauwarmes Kamillenbad zu setzen, danach die Verletzung mit einer Wundsalbe zu behandeln. Jedoch war es auch für diese Tier schon zu spät.

Erschwert wird alles, da es in unserer Nähe noch keinen Tierarzt gibt, der sich mit Reptilien – besonders jedoch mit Schildkröten – auskennt. Der Tierarzt, der unseren Hund behandelt, hat selbst Land- und Wasserschildkröten und kannte – bis jetzt – weder Rasse noch Art. Als wir ihn nach den Geschlechtern fragen, konnte er uns nur sagen, daß einige Tiere schon Eier abgelegt haben. Dieser Tierarzt ist sehr tierlieb. Eine seiner Mitarbeiterinnen kommt nun in ihrer karg bemessenen Freizeit, um sich bei uns einige Grundkenntnisse im Umgang mit Schildkröten anzueignen. Ob dies jedoch reicht? Wir hatten im vergangen Sommer zwei weibliche Schildkröten *Testudo hermanni hermanni*, die bis dahin noch nie Eier abgelegt haben, zur Kur in unserem Krankenhaus. Die Tiere leben mit zehn Männchen (gemischt *Testudo hermanni hermanni* und *Testudo hermanni boettgeri*) zusammen.

Aus Angst vor den ständigen Angriffen, haben sich die Tiere im Vorgarten niedergelassen, wo es außer englischem Rasen und einigen Tannen nichts zu fressen gibt. Als eines der Weibchen bei uns das erstemal Kot absetzt, sind wir erschrocken. **Rot!** Ich untersuche den Kot und wir atmen auf, das Tier hat vor Hunger die abgeworfenen, trockenen Tannennadeln gefressen! Wenig oder kein Futter, keine Vitamine, wenig Kalzium, jedoch viel Sonne, wir sahen das Ergebnis.

Bei der ersten Eiablage waren einige Schalen nicht hart, wie normal, sondern nur hautartig, wenige Tage später bei der zweiten

Legung waren die Schalen zwar recht zart, jedoch schon so hart, daß wir sie in unsere Bruthilfe legen konnten. Aus den vier abgelegten Eiern schlüpfte nur ein Tier. Das Jungtier (8 Gramm) war zuerst schwach, hat dann durch die richtige Nahrung rasch zugelegt. Das zweite weibliche Tier hat eine Panzerverletzung, welche vermutlich von einem Rasenmäher stammt. Das gesamte linke Vorderteil vom Carapax hat sich abgelöst. Dieser Züchter wundert sich, daß seine adulten weiblichen Tiere zwar Eier ablegen, aber nie etwas schlüpft. Wir sehen uns das Gehege genauer an. Das totale Gegenteil von unserer Naturwiese. Nur englischer Rasen, der Rand eingesäumt mit einer Hecke. In diesen Rasen legen die Tiere ihre Eier ab. Jeden Abend schaltet jedoch, für eine Stunde, automatisch die Wasseranlage ein. Der Boden wird naß und kalt, dadurch werden die abgelegten Eier zu stark abgekühlt, es kann so nichts ausgebrütet werden. Zu Fressen gibt es in diesem Gehege reichlich, der Besitzer stellt Berge von Salat, Gemüse und Obst für die Tiere auf, aber diese Fressberge werden von der Überzahl an Männchen ständig stark bewacht, so daß sich kaum eines der weiblichen Tiere ans Futter traut, ohne, daß es von den Männchen dabei belästigt wird. Jetzt wird – nach unseren Anweisungen – ein Gehege extra für die weiblichen Tiere angelegt. In diesem können sie die Eier ablegen und mit etwas Glück und weniger Kunstregen gelingt auch hier eine gesunde Nachzucht. Da wartet der eine sehnsüchtig auf Nachwuchs seiner Schildkröten, welche bei einem anderen Halter unerwünscht sind. Auch das gibt es, daß die abgelegten Eier in der Erde zerstoßen werden um keine Nachzuchten zu erhalten. Keinesfalls sollte eine Schildkröte nur erworben werden, da es zur „Mode" geworden ist, sich nicht nur einen Hund oder eine Katze zu halten. **Schildkröten sind kein Kinderspielzeug**, wer diesen vom Aussterben bedrohten Tieren keinen Schaden zufügen will, kauft seinem Kind besser eine Plüschschildkröte, diese ist vor allem „pflegeleicht“!

Jeder Tierliebhaber ist aufgerufen, mehr für die gestreßte, ruinierte Tierwelt zu tun!

Die Sache mit dem Hund oder: Hund ist nicht gleich Hund

Im Spätsommer kommt ein Mann mit seinem Mofa, in der Hand eine stark blutende Schildkröte, ausgerechnet ein adultes Weibchen. Ihm ist vor einiger Zeit sein alter Schäferhund gestorben, er holte sich sofort aus dem Tierheim einen neuen jungen Schäferhund.

Der alte Hund war mit Schildkröten vertraut und hat diese nie berührt. Der neue, noch junge Hund jedoch in seinem Spieltrieb nimmt das Tier zwischen die Pfoten und zernagt den Carapax rundum.

Aus mehreren Stellen tropft das Blut. Die Wunden werden sofort mit Desinfektionslösung gereinigt. Mit blutstillender Watte, auf die wir Penizillinpuder geben, werden die am stärksten betroffenen Stellen anschließend, so gut es geht, verbunden.

Hunde, vor allem junge Hunde, egal in welcher Größe, sind immer eine Gefährdung für Schildkröten. Sie tun vielleicht dem Tier nichts im Beisein des Besitzers. Ist dieser, wie in diesem Falle, nicht zu Hause, ist der Hund der Chef, niemand wehrt ihm, somit fühlt er sich berechtigt, mit den Tieren zu spielen. Dieses Spiel kann für Schildkröten in jedem Alter absolut tödlich enden. Unser neuer Tierarzt, der ja selbst Land- und Wasserschildkröten hält, erzählt uns, nach dem wir ihm den „Unfall" der Schildkröte geschildert haben, daß auch er einen Schäferhund besitzt, der schon sehr alt ist. Seine Schildkröten zusammen mit dem Hund schon immer den ganzen Garten teilen, diese sich meist unter die Hecke neben der Straße in den Schatten setzen, was schon so manchen Passant dazu verleitete, durch den Zaun zugreifen um eine Schildkröte hoch oder auch mit zu nehmen.

Dieses Unterfangen scheiterte an der Aufmerksamkeit seines Hundes, der einen Raub der Schildkröten, mit einem Biß in die Hand oder Arm schon mehrmals erfolgreich verhindert hat.

Trotzdem sollte man keinen Hund, auch wenn er noch so gutmütig ist, mit Schildkröten alleine lassen. Wenn doch, sollte der Hund möglichst nicht an die Tiere gelangen.

Tödlicher Irrtum

Vor wenigen Tagen kommt wieder ein Mann mit seinen zwei Kindern (8 und 11 Jahre), er hat den Wunsch von uns eine oder zwei Schildkröten zu erhalten. Er erklärt den Kindern: Das sind Schildkröten, der Panzer ist so hart, daß man mit einem Auto darüber fahren kann. Welch ein schlimmer, tödlicher Irrtum! Aus dieser Unkenntnis kommt, daß viele Menschen auf Schildkröten stehen oder diese fallen lassen, manchmal nur aus Übermut oder Spaß. Wir erklären den Kindern, daß dies nicht stimmt, daß diese Tiere nur nicht schreien können wenn man ihnen Schmerz zu fügt, genau wie ein Fisch. Als der Mann und die Kinder hören, daß auch eine Schildkröte tägliche Pflege (Futter, Wasser) braucht, sie mir deswegen fest versprechen müssen, dies auch täglich durch zuführen, meint der Vater, der seine Kinder besser kennt: Es ist besser für die Tiere, wenn sie hier im Gehege

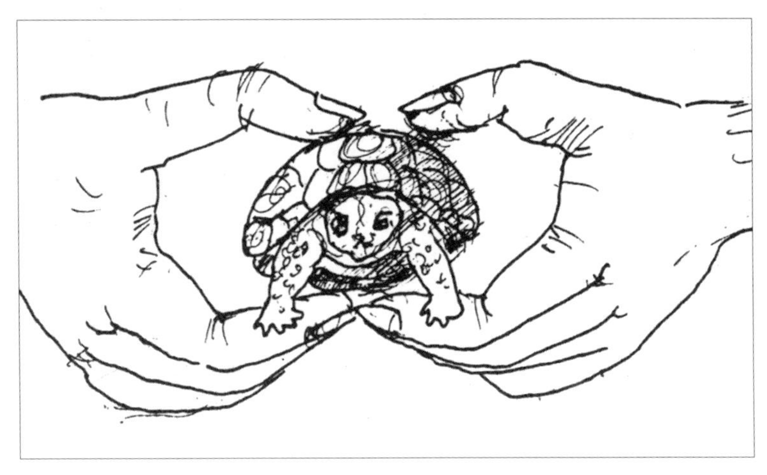

Fühlung der Festigkeit von Panzer und Carapax, bitte nie stark drücken!

bleiben wo sie die notwendige Pflege, Futter und Aufsicht haben. Für mich ein wirklicher Tierfreund, denn es ist schon ein gewaltiger Unterschied, ob man Tierfreund, Tierliebhaber oder nur Tierbesitzer ist!

Vor einiger Zeit besuchte uns eine junge Frau, sie hatte nur den einen Wunsch, einmal so viele Schildkröten lebend zu sehen und nicht nur wie bisher im Zoo. Wenige Tage nach ihrem ersten Besuch war ihr Gehege, inklusive Hütte, für die Tiere fertig. Sie erhielt mit den nötigen Papieren, ein semiadultes *Testudo hermanni boettgeri*-Paar (nicht blutsverwandt), das noch bei uns im Garten auf den Namen „Camilla und Polidoro" getauft wird! Die Kinder der Nachbarn werden gebeten – bestimmt nicht nur wegen den Schildkröten – am Nachmittag keinen Lärm zu machen, da Camilla und Polidoro, jetzt noch klein, ihre Ruhe haben müssen, um schnell zu wachsen. Sie sollen bald groß werden, das Weibchen soll Eier legen um ein Aussterben ihrer Art weiter zu verhindern.

Bei unserem Tierarzt lernen wir eine Frau kennen, die ihm eine Landschildkröte in einem Karton bringt. Meine Neugierde kann ich nicht zügeln, frage, ob ich mir das Tier einmal ansehen darf. Ob ich davon was verstehe? Ich sage, „Ein wenig". Es war ein weibliches Tier. Sie erzählt, die Schildkröte fresse nichts und unser Tierarzt wußte sich nicht anders zu helfen, als Vitaminspritzen zu geben.

Schon beim Tierarzt mache ich die Frau darauf aufmerksam, daß der im Karton abgegebene Urin dieses Tieres nicht in Ordnung ist. Er war braun, mehr eine braune dickflüssige Masse, was auf eine Nierenfunktionstörung hinweist, welche durch falsche Ernährung und Haltung hervorgerufen wird. Gesunde Tiere geben ja eine schneeweiße flüssige Masse ab. Sie sagt, der Urin sei schon lange so braun, auch bei ihren anderen Tieren. Wir unterhalten uns über die Tiere und die Frau erzählt, daß ihr schon einige, gerade dieses

Frühjahr das einzige adulte Männchen, das sie zu den drei weiblichen Tieren hat, gestorben sind.

Sie fragte mich wieviel Tiere wir haben. „Im Moment“, sage ich, „so 120 Stück, es können auch mehr sein.“ „Was? So viele? Und wieviel sind schon gestorben?“

„Nur ein Jungtier“, sage ich. Darauf sagte die Frau, „daß muß ich mir mit meinem Mann und meiner Tochter ansehen“. Wenige Tage später kommt die Familie komplett mit noch drei weiteren Schildkröten uns besuchen. Sie halten zwar schon einige Jahre Schildkröten, hatten aber wenig oder keinen Erfolg mit Nachwuchs. Von ihren drei erwachsenen, adulten Muttertieren haben sie bis jetzt nur ein circa vierjähriges Männchen als Nachzucht erhalten.

Wir werden gefragt wie wir die Tiere halten. Die Frau ist entsetzt, daß bei uns Groß und Klein immer draußen im Freien ist. Ihre Tiere werden, wenn es regnet immer ins Haus gebracht. Auch die Nacht verbringen sie nur im Haus. Jeden Morgen, und nur bei schönem Wetter dürfen die Tiere raus. Sie werden jeden Tag gebadet. Nach diesem Bericht, kann ich das entsetzte Gesicht der Frau verstehen, als sie in unsere Männergehege schaut. Dort haben Rudi, Peter und Paul, nach dem ich, abgehalten durch den Besuch, für einige Zeit den Wasserschlauch im Gehege liegen ließ, diese drei Chaoten, ohne jegliche Aufsicht, sich eine regelrechte Schlammschlacht geliefert. Ein Sommervergnügen, das sich die drei Musketiere mit größtem Spaß leisten.

Wir werden gefragt, wo die Tiere die Nacht verbringen. Hier im Gehege sage ich, dabei öffnete ich einen Deckel und die Frau staunt wie brav einige unsere Damen schon an ihren Plätzen sitzen.

Wir erklären, daß die Tiere bei uns beinahe dieselben Bedingungen haben wie in der freien Natur. Sie werden nicht wie ihre Tiere ständig in die Hand genommen und geküßt und geherzt, sondern unsere Tiere werden normal nur für Gesundheits-Kontrollen, zum Wiegen oder bei zu drastischen Kämpfen aus dem Gehege genommen. Ihr Futter finden sie an den Futterstellen oder sie suchen sich selbst die im Gehege angepflanzte Nahrung wie Klee, Löwenzahn, Rucola, Feldsalat oder verschiedene Kräuter. Nur die schon zutraulichen Tiere, die von selbst zu mir kommen, erhalten auch eine Streicheleinheit, ich lasse sie dazu jedoch im Gehege sitzen und kraule ihnen nur den Hals, was sie sehr gerne haben, dabei wird der Hals ganz weit aus dem Carapax gestreckt. Von diesen Streicheleinheiten profitieren besonders unsere Männchen. Kaum habe ich bei der Arbeit im Gehege einen Fuß in dieses gesetzt, wird über meine Schuhe gelaufen und zwischen meinen Beinen herum stolziert, sozusagen als Aufforderung: „Hallo, ich bin auch da."

„Und im Winter?" fragt die Frau, „Wo sind die Tiere da?" „Hier in den Hütten. Den Winterschlaf regeln die Tiere ja bei uns selbst."

Sie dagegen nimmt ihre Tiere ins Haus, in einem Karton mit Zeitungspapier, dürfen sie in einem Zimmer überwintern. Dabei erklärt sie mir, daß sie die Tiere jede Woche berührt, um zu sehen, ob sie sich **noch** bewegen. Ich sage ihr, daß es mich wirklich wundert, daß die Tiere überhaupt noch leben.

Gut, die fehlende Feuchtigkeit in der Natur ersetzt sie im Sommer mit Baden. Dazu erklärt sie, dürfen die Tier nur das fressen, was sie ihnen vorlegt. Und nur zu der Zeit, wo **sie** findet, daß es richtig ist.

Sie weiß nichts von Aufwärmphase, Austrocknen im Winterschlaf, Löwenzahn und Kleefutter, Mangelerscheinung. Dafür sind die Tiere recht schwer, sie fressen auch Hunde- und Katzennahrung. Sie kann sich nicht vorstellen, daß ihre so sauber gehaltenen Tiere sich im Winter eingegraben, sich in Erde und Sand wohl fühlen können oder sollen. „Ihre Tiere“, sage ich ihr, „sind alle zum Sterben verurteilt.“ Sie wundert sich über das noch so emsige Treiben unserer Kleinen die ein, zwei und drei Jahre alt sind, nun gegen Abend, wo es nicht mehr so heiß ist, im Gehege umherlaufen, Futter suchen, fressen, dann in der Hütte verschwinden.

Ihr Jungtier dagegen im gleichen Alter, sitzt apathisch in der Schachtel. Eines unserer Jungtiere, wäre sicher nach fünf Minuten schon aus diesem Gefängnis geklettert und verschwunden! Nun lege ich eine zerschnittene reife Tomate, einen geteilten Apfel und etwas Salat in das Gehege der Männchen. Sofort werden die Streitereien unterbrochen und alle, ob groß oder klein, kommen zum Futter. Ja, ob ich die Tomaten nicht schäle und die Kerne entferne? Warum? Innerhalb von zwei Minuten hat Rudi einen Teil der Tomate mit Kern und Haut verspeist! Danach kommt ein Stück Apfel mit Schale daran. Da er uns am Gehege stehen sieht, kommt er sofort und will wieder etwas haben, er bekommt noch ein Stück Gurke welche er mit Schale in wenigen Bissen verschlingt! Noch drei vier Löwenzahnblüten zum Nachtisch und ab geht's in die Hütte zum Schlafen. Nun sagt mir die Frau, daß ihre Tiere nur Fleisch, sehr wenig Gemüse oder Salat fressen, Klee und Löwenzahn überhaupt nicht anrühren. Sie macht es wie bei Kindern, wer etwas nicht ißt oder mag, bekommt etwas anderes, wo man weiß, daß es gegessen wird. Bei uns bekommt man das was **gesund** ist, wer richtig Hunger, hat dem schmeckt auch der Löwenzahn. Vor allem wundert sie sich über die Mengen, die bei uns das eine oder andere Tier, egal, ob groß oder klein, verschlingt.

Wir beobachten dabei gerade, wie Zoppi sich eine kleine Straße durch den Klee und Rucola zum Löwenzahn frißt, danach sich in die Hütte zum Schlafen zurückzieht. Wir raten der Frau, doch ihre Tiere Tag und Nacht im Garten zu lassen, nicht immer dem Streß des „Raus und Rein“ auszusetzen,. Die Tiere regeln selbst, wie lange sie in der Sonne oder im Schatten sitzen möchten oder müssen. Sie ist von diesem Plan nicht begeistert. Ihr Mann jedoch ist spontan bereit, eine Hütte für die Tiere zu bauen. Ihre Tochter meint: „Mama, laß dir doch etwas sagen, sieh doch einmal, wie viele gesunde Tiere hier leben.“

Sie möchte nicht, daß sich ihre Tiere so schmutzig machen wie unsere, denen es allen offensichtlich einen Mordsspaß macht durch die vom Wasser aufgeweichte Erde zu marschieren.

Den Unterschied sieht sie selbst, hier unsere wilden, vitalen Tiere, egal, ob groß oder klein, ob weiblich oder männlich, sind alle viel lebhafter als ihre Tiere. Daß es mit dem so sehnlichst gewünschten Nachwuchs nicht klappt, ist kein Wunder, wenn sie die Tiere ständig auf den Arm nimmt, erst nach 9 Uhr in den Garten bringt, abends um 18 Uhr wieder ins Haus zurückträgt. Wie, wo und wann soll sich da eine weibliche Schildkröte entschließen, Eier zu legen?

Unsere Damen laufen suchend nach einem geeigneten Legeplatz schon am Morgen gegen 7 Uhr oder 8 Uhr durchs Gehege, ohne daß an dem Tag überhaupt gelegt wird. Dazwischen wird gefressen, etwas ausgeruht, um dann weiterzusuchen. Ist es sehr heiß, wird die Suche erst gegen 18 Uhr oder 19 Uhr wieder aufgenommen. Das regeln alle unsere eierlegenden Damen selbst.

Wir können jedoch niemanden zwingen, den Tieren ein naturgemäßes Habitat zu geben, wenn sie diese Tiere mehr wie ein Haustier, zum Beispiel wie einen Hund oder eine Katze halten. Wir sind nicht verwundert, als sie nach einigen Tagen anruft und sagt, das kranke Tier sei gestorben, und dabei bitterlich weint.

Ich habe es mir gedacht: Die jahrelangen haltungsbedingten Schäden können nicht mehr behoben werden. Bestimmt hätte das Tier, auch wenn es ab sofort im Freien geblieben wäre, den Sommer nicht überlebt. Das Tier war an den Schultern so fett und aufgedunsen, daß es nur mit Mühe den Kopf etwas einziehen konnte. Schade. Leider wieder ein weibliches Tier weniger.

Krankheiten oder Fehler bei der Aufzucht

Wenn eine Schildkröte krank wird, sollte man sofort einen Tierarzt, der sich mit Schildkröten auskennt, aufsuchen. Wie erkennt man jedoch, ob ein Tier krank ist? Gesunde Schildkröten haben einen gesunden Appetit. Sie schlafen gerne in der Sonne – wenn es nicht zu heiß ist – um sich dann wieder dem Futter zu zuwenden. Sie haben glänzende schwarze Augen, laufen auf kräftigen Beinen ohne mit dem Panzer die Erde zu berühren. Die Haut ist stramm und trocken, nicht weich und feucht. Ist die Schildkröte jedoch apathisch, frißt nicht, sitzt nur in einer kühlen Ecke, hat dazu vielleicht noch geschwollene oder verklebte Augen, dann sollte man sie besser einem fachkundigen Tierarzt zeigen. Einzelhaltung ist zu empfehlen. Nicht nur wegen der eventuellen Ansteckungsgefahr für die anderen Tiere, auch damit das kranke Tier mehr Ruhe hat. Wird eine Schildkröte richtig und gut ernährt, hat sie zudem viel Sonne, gibt es normalerweise keine Mangelerscheinungen. Ein gesundes Tier hat genügend Abwehrstoffe, trotzdem kann es durch zu nasse und kalte Haltung oder durch eine zu schnelle Abkühlung erkranken.

Gesunde Schildkröte: neugierig, beobachtet alles

Pilzbefall

Schildkröten, die zu naß gehalten werden, bekommen schnell einen Pilzbefall des Panzers. Wenn der Befall sehr stark ist lösen sich die Schilder schichtweise ab. Weiße Flecken auf dem Panzer sind ein deutliches Zeichen. Für die Unterbringung im Freien, sollte eine trockene Schutzhütte, möglichst aus unlackiertem Holz, vorhanden sein. Die Hütte kann mit trockenem Sand und trockener Erde gefüllt werden.

Ungeeignet ist Kuh- oder Pferdemist da die Tiere diesen fressen und dabei viele Krankheiten, auch verschiedene Würmer aufnehmen können. Sägespäne oder Sägemehl können die Nasen der Tiere verstopfen. Zu feuchtes Sägemehl fördert den Pilzbefall, es muß aus diesem Grunde mehrfach ausgetauscht werden. Besser geeignet ist Rindenhumus oder Rindenmulch.

Ist der Panzer durch Pilz befallen, badet man das Tier im warmen Wasser, dabei wird mit einer Bürste der Panzer vorsichtig gebürstet. Sind die Stellen klein und schon etwas tief, benützt man eine Zahnbürste. Das Tier nach dem Baden trocken und warm halten (30–35 °C), am besten in der Sonne. Mit einem feinen Pinsel wird dann auf den Panzer ein flüssiges Mittel gegen Pilzbefall (Apotheke oder Tierarzt) auftragen.

Diese Prozedur sollte mindestens einmal pro Woche wiederholt werden, bis der Panzer eine deutliche Besserung zeigt. Zusätzlich sollte 2 x pro Woche Kalkmehl und Sepia-Muschelmehl über das Futter gestreut werden, dazu Sepiaschalen zum Knabbern anbieten. Die erkrankten Tiere so oft wie möglich in die Sonne setzen, um eine rasche Besserung zu erzielen, zusätzlich noch viel Löwenzahn, Klee und anderes vitaminreiches Grünfutter, wie Rettichblätter,

Kresse und Rucola anbieten. Durch schweren Pilzbefall können sich Schilder oder Teile der Schilder ablösen. Ist der Pilz schon so tief in den Panzer vorgedrungen, daß aus der Verletzung Blut austritt, muß die Wunde sofort desinfiziert werden.

Würmer

Wenn Tiere auf engerem Raum wie in einem Terrarium oder kleinen Gehege leben, stecken sich diese Tiere gegenseitig mit Würmern verschiedener Art an. Meistens werden die Wurmeier mit dem Futter aufgenommen.

Bei manchen Tieren macht sich eine Wurmplage bemerkbar, indem sonst lebhafte Tiere plötzlich apathisch werden. Oft sind geschwollene Augen mit ein Anzeichen, daß Parasiten dem Tier ein Unwohlsein bereiten. Hier sollte man einen schildkrötenerfahrenen Tierarzt aufsuchen; um keine Zeit zu verlieren, eventuell den frisch abgesetzten Kot der erkrankten Schildkröte gleich mitnehmen. Stellt der Tierarzt eine Wurmplage fest, muß der ganze Bestand, das heißt alle Tiere, große und kleine, entwurmt werden.

Leben viele Tiere zusammen, ist es besser, von Zeit zu Zeit eine Wurmkur durchzuführen, am besten jedoch jedes Frühjahr. Welches Wurmmittel angewendet werden sollte, kann der Tierarzt nach der Kotuntersuchung sagen. Ein in Deutschland häufig verwendetes und gut verträgliches Wurmmittel ist Panacur Paste, diese wird direkt ins Maul der Tiere gegeben, (50 mg pro Kilogramm des Körpergewichtes) dieses Mittel wirkt bei Askariden und Oxyuren am besten, die Eingabe muß jedoch nach 2 Wochen wiederholt werden. Für Jungtiere eignet sich besser ein Wurmpulver, das auf das Futter gestreut wird. Man sollte jedoch darauf achten, daß keines der Tiere zuviel und vor allem jedoch daß **jedes** Tier etwas davon frißt.

Wurmmittel sollte nur an gut temperierte Schildkröten, die kurz nach der Einnahme mit dem Fressen beginnen, gegeben werden.

Gute Nacht

Schnupfen

Bei einem leicht erkälteten Tier (eventuell zu heftige Temperatur Schwankungen), ist die Nase naß und glänzend, es bilden sich beim Atmen kleine Blasen. Diese nasse Nase kann man oft am Morgen beobachten, wenn es nach einem heißen Tag bei Nacht etwas zu rasch abgekühlt ist. Oftmals ist diese nasse Nase nur an einem Tag zu beobachten, nach einem kräftigen Sonnenbad, ist die Nase wieder trocken. Hält der Schnupfen jedoch an, in diesem Fall gibt man dem Tier für mehrere Tage etwas Oral-Antibiotika (Apotheke oder Tierarzt). Oral deshalb, da es den Erkältungsherd sofort erreicht. Oral ist das Medikament einfach einzugeben, auch für einen Laien. Man benützt am besten eine Pipette, wobei man täglich einen Tropfen in das Maul träufelt. Tritt eine Besserung ein, erfolgt die Behandlung alle zwei Tage. Ist die

Schildkröte beim Sonnenbad

Erkrankung abgeklungen, sollte man jedoch einmal pro Woche noch etwas Antibiotika geben, über einen Zeitraum von vier Wochen, um eine völlige Ausheilung zu erreichen. Das erkrankte Tier einzeln halten, damit es die anderen gesunden Tiere nicht ansteckt. Auch nach der Ausheilung muß das Tier ständig kontrolliert und längere Zeit in Quarantäne gehalten werden, um ein eventuelles Aufflackern der Krankheit sofort zu behandeln und andere Tiere nicht zu gefährden. Manche Tiere haben chronischen Schnupfen, welcher jedoch nicht ansteckend ist.
Sonnen- oder Freilandhaltung ist hier das beste Mittel.

Futter

Kranke Tiere brauchen gutes abwechslungsreiches Futter (siehe Futtertabelle). Man sollte jedoch das nicht gefressene Futter von erkrankten Schildkröten nicht an gesunde Schildkröten weitergeben (Ansteckungsgefahr, Schnupfen, Würmer).

Ansteckung

Da viele Halter, vor allem deren Kinder, Schildkröten in die Hand nehmen, ihnen dabei ins Gesicht sehen, um mit ihnen zu reden, könnte eventuell auf diesem Wege der Mensch selbst Schnupfen, eventuell Herpes an die Tiere übertragen. Diese Möglichkeit ist nicht auszuschließen. Entsprechend erkrankte Menschen sollten deshalb wenig Kontakt zu den Tieren aufnehmen oder Schutzmaßnahmen (Maske, Handschuhe) in Betracht ziehen.
Vor allem sollten die Hände nach dem Kontakt mit Schildkröten gründlich gewaschen und desinfiziert werden.
Kranke Tiere sollten immer einzeln und bei einer Temperatur von 30–35 °C gehalten werden, dabei müssen sie jedoch die Möglichkeit haben, sich an einen kühleren Platz mit mindestens 25 °C zurückziehen. Sie sollten einmal pro Woche in einem lauwarmen Wasser gebadet werden.

Auch kranke Tiere sollten, wenn dies der Zustand zuläßt, eine verkürzte (2–3 Wochen) Winterruhe halten. Dies gilt besonders für adulte eierlegende Weibchen. Wird ein Tier am Winterschlaf gehindert, was nicht sehr schwer ist (hohe Temperatur), kann dieses zu schweren gesundheitlichen Störungen im Organismus des Tieres führen. Während des Winterschlafes reifen in den weiblichen Tieren die Eier für die nächste Legezeit. Sind gesunde Schildkröten richtig untergebracht während des Winterschlafes, verlieren sie kaum an Gewicht. Was heißt jedoch richtig? Bei uns leben die Tiere das ganze Jahr im Freien, haben so über den Winter Feuchtigkeit, aber auch die Möglichkeit, sich bei Kälte tiefer einzugraben. Sind die Voraussetzungen gegeben, daß Tiere bei 1–7 °C auch für ein paar Tage – aber wirklich nur für Tage – um 0 °C oder tiefer, ihre Winterruhe halten, verlieren sie recht wenig an Gewicht. Man sollte auf Feuchtigkeit achten, aber nicht zu feucht, so daß die Tiere in der Nässe, die ja dann gefrieren kann, überwintern. Kleine Tiere können so erfrieren, es könnte durch zu viel Feuchtigkeit wiederum zu einem Pilzbefall am Carapax und Plastron kommen.

Wir hören immer wieder, daß manche Züchter ihre Jungtiere bis zu drei Jahren über den ganzen Winter füttern und wach halten, ohne jegliche Winterruhe, diese kann zu sehr ernsthaften Schäden oder zum frühzeitigen Tod der Tiere führen. Dieses „falsche Alter" bemerkt man rasch, leider meist zu spät, da die Tiere trotz der **Super**-Größe, erst nach Erreichen der normalen, der Natur entsprechenden Jahre, die Geschlechtsreife erreichen. Gegen einen verkürzten Winterschlaf vom ersten Lebensjahr an, der jedoch mindestens 6 bis 9 Wochen dauern sollte und unter optimalen Haltungs- und Temperaturbedingungen stattfindet, ist nichts einzuwenden. Tiere, die bei zu hohen Temperaturen überwintert werden, schlafen meist nicht ein. Verbrauchen ihre Fettreserven. Für alle Tiere ist es besser, einen verkürzten Winterschlaf unter optimalen Bedingungen zu halten, als 3 bis 4 Monate in einem Keller oder Garage, wach, ohne Licht und Futter zu verbringen. Wer seine Tiere im Freien überwintern läßt, sollte darauf achten, daß sich je nach Temperatur (Frost) die Tiere tiefer eingraben können. Tiere, die ohne Hütte im Freien überwintern, sind dabei sehr gefährdet, bei starkem Frost dem sicheren Tod ausgesetzt. Niemand sollte erschrecken, wenn sich ein Tier bis zu 20 cm tief oder mehr eingräbt, wenn es die Möglichkeit dazu hat keine Angst, der nächste Frühling weckt jeden. Wir haben jedoch auch Tiere, die sich unter dem Laub in der Hütte nur verstecken, andere wiederum graben sich sehr tief ein. Kleine Aufweckhilfe: Meist reicht es, an warmen sonnigen Frühlingstagen den

Kistendeckel für einige Stunden zu öffnen, man sollte jedoch das Abdecken am Nachmittag nicht vergessen, da sich die Tiere sonst wieder tiefer eingraben. Wer seine Tiere jedoch im Haus (Keller) oder Gartenhaus überwintern läßt, sollte ihnen auch dort die Möglichkeit geben, je nach Bedarf, sich tiefer einzugraben. Dieses Tiefer-Graben ist nicht möglich, wenn die Tiere auf Stein- oder Betonboden stoßen. Wenn die Tiere im Freien überwintern, kommt es oft vor, daß eines oder mehrere Tiere durch schönes warmes Wetter geweckt werden. Kommt ein Kälteeinbruch, verschwinden sie wieder, manchmal für Tage. Keine Sorge, das passiert auch im Süden, daß es zwar nicht mehr schneit, jedoch noch einmal empfindlich kalt wird.

Vor allem kleine Tiere, die sich nicht tief genug eingraben können, erleiden bei einem Frosteinbruch leicht Frostschäden, überleben diesen vielleicht, können dabei jedoch erblinden. Frost schädigt die Augen der Tiere.

Wer seine Tiere vor und nach dem Winterschlaf wiegt wie wir, sieht genau, wieviel die Tiere abnehmen. Ist der Gewichtsverlust 80–100 Gramm und mehr, also sehr groß, war die Haltung falsch oder der Winter zu lang. Ist der Winter recht lang, wie im Norden, muß er künstlich verkürzt werden. Im Süden von Italien in Sizilien und Sardinien, kann es dagegen in manchen Jahren auch im Winter für die Tiere, im Freien zu warm sein, so daß die Tiere hier auch im Freien keinen Schlaf finden. So mancher Züchter hat dann nach dem nicht statt gefundenen Winterschlaf ernsthafte Probleme, da die Tiere im Frühjahr keine Eier ablegen.

Wir hatten in Italien 1995/96 einen verhältnismäßig langen Winter.

Hier einige Gewichts-Angaben unserer Tiere:

Gewicht		am 9.10.1995	10.04.1996	Differenz
Chiara	*T.h.b.*	1342 Gramm	1304 Gramm	- 38 Gramm
Wilma	*T.h.b.*	1669 Gramm	1636 Gramm	- 33 Gramm
Timida	*T.h.b.*	666 Gramm	649 Gramm	- 17 Gramm
Peter	*T.h.b.*	938 Gramm	915 Gramm	- 23 Gramm
Fritz	*T.h.b.*	1039 Gramm	997 Gramm	- 42 Gramm
Paulin	*T.h.h.*	876 Gramm	836 Gramm	- 40 Gramm
Sardi	*T.h.h.*	875 Gramm	832 Gramm	- 43 Gramm
Fido	*T.h.h.*	812 Gramm	806 Gramm	- 6 Gramm
Rambo	*T.g.i.*	1001 Gramm	996 Gramm	- 5 Gramm
Marginata 92		114 Gramm	118 Gramm	+ 4 Gramm
Marginata 92		124 Gramm	132 Gramm	+ 8 Gramm

Wie unser Tabelle zeigt, nehmen manche Tiere auch während des Winterschlafes zu. Auch wir waren erstaunt, daß gerade die *Marginata*-Jungtiere, die wie alle andern Tiere im Freien überwintert haben, gegenüber den anderen Tieren als einzige, trotz des langen Winters, zugenommen haben.

Die häufigste Todesursache

Wenn man Jungtiere, die noch kein Jahr alt sind, in die Hand nimmt, spürt man, daß der Panzer weich ist, vor allem im Bauchbereich. Manche Sadisten drücken den Tieren mit den Fingern grob auf den Bauch, was zu schweren inneren Verletzungen führen kann. Es ist, wie wenn man einem Baby mit der Faust auf den Magen drückt. Vor allem Kinder haben oft keine Kontrolle über ihre Kraft. Jungtiere sollen, im Hausterrarium sowie im Garten, oft kontrolliert werden, vor allem muß man täglich, vor Einbruch der Dunkelheit, in der Hütte nachsehen, ob nicht vielleicht ein Tier auf den Rücken gefallen ist.

Die meisten gesund geborenen Jungtiere sterben an einer falschen Ernährung, verbunden mit falschen Haltungs- und Temperaturbedingungen. Viele davon in den ersten Monaten.

Wird ein Jungtier falsch (Fertigfutter) ernährt, so daß das Kalzium-Protein-Verhältnis nicht stimmt, wächst das Tier zu schnell, die Schilder zeigen dann einen pyramidenartigen Wuchs.

An dieser Deformierung stirbt das Tier nicht immer, wird das Verhältnis schlechter, geht es dem Tier jedoch regelrecht an Leber und Nieren. Viele falsch ernährten Tiere sind überaktiv, werden dann mit der Zeit schwach, oft apathisch, verweigern dann die Nahrung. Ist ein Tier erst in diesem Zustand angelangt, mußt die Pflege verbessert werden. Wird zuviel Brot, Zwieback, Fleisch, Katzen- oder Hundefutter, Fertignahrung über längere Zeit als Hauptnahrung geboten, lehnt das Tier nach einiger Zeit, jedes **Grünfutter** ab. Kleine Tiere haben immer Hunger, fressen deshalb „fast“ alles. Erhält schon ein Jungtier zuviel proteinhaltige Nahrung, werden die Maulränder, beziehungsweise die Kiefer, nicht hart. Was wiederum dazu führt, daß das Tier nur weiche Nahrung aufnehmen kann. Manche Tiere lehnen aus diesem Grunde kräftiges Grünfutter ab, da sie es mit dem weichen Kiefer nicht abbeißen können. Einem so erkrankten Tier gibt man besonders viel Klee und Kresse da dies eine natürliche weiche Nahrung ist, jedoch die Vitamine und Spurenelemente enthält, um die Kiefer zu härten. Dazu eine kalziumreiche Kost, viel Grünfutter, das man in besonders schweren Fällen breiartig anbietet, einige Sepiastücke zum Knabbern, können dem Tier das Leben retten. Kresse kann man leicht im Haus auf der Fensterbank ziehen. Sie wächst schnell und ist für Jungtiere immer ein besonderer Leckerbissen, welcher jedoch auch von großen Tieren nicht zurückgewiesen wird. Eine adulte Schildkröte, die eine zu proteinreiche Kost erhält, bekommt zwar keine Höckerbildung mehr, kann jedoch auch daran sterben.

Wer Landschildkröten in der Wohnung hält, ohne entsprechendes Terrarium, darf sich nicht wundern, wenn sich das Tier unter einem Schrank oder Teppich eingraben will. Vielleicht erhält das Tiere noch einen Karton mit Sand oder Erde. Wer eine Schildkröte im Zoohandel erwirbt, sollte sich genau informieren, ob das Tier (europäische Landschildkröten) einen Winterschlaf halten muß oder, ob es sich um eine exotische Schildkröte handelt, die aus tropischen Ländern stammt und keinen Winterschlaf macht, jedoch bestimmte Temperaturen (Terrarium) braucht und auch im Winter gefüttert werden muß. Besser ist, sich schon vor dem Erwerb einer Schildkröte über Haltung, Nahrung und Krankheiten zu informieren.

Verhinderung von Unfällen

Bei der Gartenarbeit sterben mehr Schildkröten als man denkt. Wer seine Tiere frei im Garten hält, muß sich vor der Gartenarbeit überzeugen, daß kein Tier mit der Hacke, Spaten, Rasenmäher, Gartentrimmer, Scheren oder anderen Geräten verletzt wird. Rasenmäher und Rasentrimmer können für Schildkröten den sicheren Tod bedeuten. Wenn sich ein Tier, nur wenige Zentimeter tief eingräbt, ist es so versteckt, daß es beim Mähen leicht übersehen wird. Man sollte darauf achten, daß kletternde Schildkröten nicht auf Stein- oder Betonfliesen fallen können. Landschildkröten sollten keinen Zugang zu Treppen, Garagen, Einfahrten sowie Straßen haben. Gesunde Landschildkröten sind Neugierige und wahre Meister im Klettern. Gefährlich sind für die Tiere Schächte, Gartenteiche und Schwimmbecken. Die Tiere sollten keine Möglichkeit haben, sich in enge Mauerschlitze oder Holzstapel zu verkriechen, die Möglichkeit, daß sich ein Tier nicht mehr aus eigener Kraft befreien kann, ist recht groß.

Tod

Wie erkennt man, ob eine Schildkröte wirklich tot ist, noch im Winterschlaf ist oder vielleicht eine Vergiftung hat. Manchmal fallen Schildkröten in einen todesähnlichen Schlaf (Koma), vor allem nach einer Antibiotikaspritze, die vielleicht zu stark war (eventuell zu hoch dosiert) oder vom Tier nicht vertragen wird. Wieviel Tiere in diesem Zustand schon lebend begraben wurden bleibt eine Dunkelziffer. Um den Tod festzustellen, da man keinen Herzschlag hören kann, legt man das Tier unter eine (Rotlicht) Lampe, wird der Carapax handwarm, bedeutet dies, das Tier lebt. Wird der Panzer abnormal heiß, Füße und Kopf bleiben kalt, ist das Tier leider gestorben.

Ob ein Tier tot oder lebendig ist, sieht man auch an den Augen, bei einem toten Tier sind diese eingefallen. Wenn ein Tier in einen todesähnlichen Schlaf fällt oder im medikamentösen Koma ist, muß man warten bis das Tier von selbst erwacht, es muß jedoch in dieser Zeit ständig beobachtet und auf 25–30 °C gehalten werden. Dies kann mehrere Tage dauern.

Erwacht das Tier, wird versucht, es normal mit viel Klee und Löwenzahn zu füttern. Wir versuchen deshalb Medikamente, wenn überhaupt nötig, **oral** einzugeben. Besser ist es jedoch einen erfahren Tierarzt aufzusuchen, wenn ein Tier krank ist.

1996 – Neues Jahr – neues Leben

Seit dem Frühjahr 1996 sind wir noch mehr darauf bedacht, noch weniger Fehler bei der Haltung, Eiablage und Aufzucht zu machen. Wir wollen unsere Fehler und Erfahrungen nicht für uns behalten, sondern zum Wohle aller Landschildkröten an Halter, Züchter, Neuerwerber und vor allem Liebhaber dieser Tiere weitergeben. Dabei liegen uns besonders die alten Tiere, die Muttertiere, die schon Jahre, manchmal Jahrzehnte in Gefangenschaft leben, oft unter ungünstigen Bedingungen am Herzen. Das Ziel meines Buches ist es, den Tieren und den hinzukommenden Nachzuchten das Leben in menschlicher Obhut und Pflege zu erleichtern, vor allem dieses Leben zu erhalten und zu verlängern.

Was mich immer öfter in Wut, damit auch zu groben Worten gegenüber oft langjährigen Haltern von Landschildkröten treibt, ist ihre Leichtfertigkeit und Uneinsichtigkeit, welche mit der Zeit die Tiere das Leben kostet.

Wie froh sind wir, wenn wir von erfahren Züchtern und Haltern Tips erhalten. Gerade hier in Italien, wo das Züchten, aufgrund des Klimas viel einfacher ist, als im Norden, könnten viel mehr kleine Landschildkröten das Licht der Welt erblicken, so daß ein Artenschutz entfallen könnte. Viele Muttertiere würden erhalten bleiben, wenn sich der Mensch, meist aus Unkenntnis, nach der Natur und dem Tier richten würde, nicht umgekehrt, das Tier sich leider in Gefangenschaft immer nach dem Menschen richten muß.

Nach dem Winterschlaf sind alle unsere großen und kleinen Tiere gesund und munter im Frühjahr 1996 erwacht. Es war auch in Italien ein langer, jedoch nicht so kalter Winter. Wir tauschen Erfahrungen aus mit anderen italienischen Züchtern und Landschildkrötenhaltern, dabei stellen wir immer wieder fest, daß kaum jemand sich mit diesen, so oft als Haus- oder Gartentier gehaltenen Wildtieren richtig auskennt.

Werden Tiere jedoch an den Menschen gewöhnt, werden sie bei einigermaßen guter Haltung, mit zunehmendem Alter so zahm, daß sie dem Menschen regelrecht nachlaufen.

Durch die vielen neuen Bekanntschaften erleben wir so einiges. Dabei staunen wir, was Landschildkröten alles ertragen müssen und können, bis sie dann doch nach 8–10 oder mehr Jahren ein schneller Tod ereilt. Dieser vom Menschen programmierte schleichende Tod, hervorgerufen durch falsche Haltung und Futter, tickt als Zeitbombe in diesen Tieren. Für viele Tiere kommt unsere Aufklärung leider zu spät. Jahrelange falsche Haltung, vor allem falsche Ernährung, dazu noch zuwenig Futter, kann nicht in einem Sommer wieder gut gemacht werden.

Durch unsere Aufklärung sind einige Schildkrötenhalter dazu übergegangen, ihre Tiere vor und nach dem Winterschlaf zu wiegen und im Frühjahr auch zu baden. In der freien Natur besorgt das der Regen, dort kümmert sich auch keiner, ob eine Schildkröte gesund oder krank oder überhaupt wieder erwacht.

Als Halter und Züchter hat man jedoch eine gewisse Verantwortung übernommen, diese Pflicht sollte man nicht nur ab und zu, sondern täglich sehr ernst nehmen. Viele Landschildkröten haben weder eine Hütte noch Frischwasser im Sommer. Bei reichlichem Grünfutter trinken die Tiere recht wenig. Manche sogar überhaupt nicht. Vielen reicht das vom Tau benetzte Futter als Wasserspender. Ist jedoch der Sommer recht trocken und die Tiere müssen getrocknetes Gras fressen, sollten sie auch frisches Wasser haben. In der Natur suchen sich Schildkröten ihre Wasserquellen und leben meist in deren Umgebung.

Nachdem wir alle Tiere gebadet haben, beginnen sofort die alljährlich wiederkehrenden männlichen Raufereien um den besten Schlafplatz und wer in diesem Jahr der Revierstärkste ist. Dabei ist nicht immer gesagt, daß der Kleinste auch der Schwächste ist. Wir achten jedoch darauf, daß diese Raufereien nicht mit Verletzungen enden. Meist reicht es, zum Abkühlen der Gemüter, einen frisch gewaschenen zerteilten Kopfsalat, einen zerkleinerten Apfel und einige Tomatenstücke anzubieten und siehe da: Vergessen sind die Streitereien, es geht friedlich und gemeinsam ans Futter.

Nachdem Baden werden alle gewogen und wir stellen fest, daß einige mehr andere, trotz des langen Winters, weniger abgenommen haben. Bei keinem Tier wird jedoch ein größerer Gewichtsverlust festgestellt. Der Gewichtsverlust variiert zwischen 5 Gramm und 60 Gramm. Durch eine ständige Gewichtskontrolle (mindestens 4–6 mal pro Jahr) kann man frühzeitig feststellen, ob ein Tier eventuell krank ist und dadurch weniger frißt als die anderen.

Gretel (T.m.) im Futterteller, Salat mit Sepiamehl

Futterverhalten

Wir beobachten schon seit einigen Jahren das Futterverhalten unserer Tiere. Es wird im Frühling (März bis Mai) und im Sommer (Juni bis August) viel Grünfutter wie Klee, Löwenzahn, Rucola, Raps, Mohn, Salat und Kräuter gefressen, dagegen lieben unsere Tiere im Spätsommer (September bis Oktober) mehr Melonen, frische Feigen, Birnen, Äpfel, Pflaumen, Pfirsiche, dazwischen Gurken, Gelberüben auch Zucchini. Im Herbst (Oktober bis November) wird meist nur noch an ganz warmen Tagen etwas frischer zarter Klee, Löwenzahn und Kräuter die sie im Gehege finden, in kleinen Mengen gefressen.

Viele unserer Tiere sitzen ab Mitte Oktober nur noch in der Sonne, um das für sie so lebenswichtige Sonnenlicht zu tanken, die Tiere fressen 2–4 Wochen vor dem Winterschlaf nichts mehr, auch keinen Klee und keine Kräuter.

Erstaunlich ist immer wieder für uns, wie die Tiere Wetteränderungen oft schon ein bis zwei Tage voraus ahnen oder fühlen. An manchen Tagen ist noch keine Wolke am Himmel zu sehen, plötzlich beginnen die Tiere mit einer vermehrten Futteraufnahme, wenige Stunden danach oder in der Nacht, ereilt uns eine Schlechtwetterfront, oft mit einem Gewitter und einer starken Abkühlung. Dann kommen die Tiere für einen Tag nicht aus der Hütte. Ist das schlechte Wetter wieder abgezogen, wird wieder die Sonne zum Auftanken gesucht, danach das Futter. Wenn unseren Tieren, die bei uns herrschenden hohen Temperaturen zu schaffen machen, kommen sie nur in kurzen Zeitabständen, entweder morgens früh oder abends, kurz vor Sonnenuntergang, aus der Hütte. Liegen bei Tag die Temperaturen zwischen 38 °C und 42 °C dient der abgesetzte Urin in der Hütte als Feuchtigkeitsspender. Dort, wo es in der Hütte am kühlsten und vom abgesetzten Urin am feuchtesten ist, sitzen die Tiere. Manche graben sich in den so angefeuchteten Sand ein. Im Herbst, ja fast bis zum Winter, ebenso im Frühjahr wird dagegen jeder Sonnenstrahl oder der bedeckte Himmel für ein tägliches, langes Sonnenbad voll genützt.

Die Nachzuchten von 1995 die nur einen verkürzten Winterschlaf von Mitte Dezember 1995 bis Ende Januar 1996 gemacht haben, sind alle putz munter, sie verlassen, bedingt durch das schlechte Wetter erst in den letzten Märztagen das Hausterrarium. Die Tagestemperaturen liegen in diesem Jahr bei 18–22 °C. Noch sind die Nächte mit 12–15 °C recht frisch, wir haben diese Temperaturunterschiede jedoch schon im Terrarium simuliert.

Zwei Wochen vor dem Umzug in den Garten wird die Heizung im Zimmer abgeschaltet. Im Terrarium nur für wenige Stunden am Tag die Wärmelampe eingeschaltet, so daß es in der Nacht circa 15 °C, manchmal auch weniger im Zimmer hat. Die Sonne ist auch jetzt Ende März recht kräftig. Geschützt durch die Mauer, sitzen die Kleinen nur eine kurze Zeit in der Sonne, dann wird der Schatten oder das Futter gesucht.

Für alle 48 Jungtiere, die gesamte Nachzucht von 1995, haben wir schon im Januar 1996 die beantragten CITES-Bescheinigungen erhalten und in den ersten Junitagen treten alle geschlossen die „Auswanderung“ nach Deutschland an.

Viele Züchter und Halter fragen uns, warum wir die Tiere nicht behalten. Ein Grund ist, daß wir dann viel mehr Platz und Futter brauchten, der nächste Grund; wir wollen nicht, daß sich in wenigen Jahren Brüder mit Schwestern oder vielleicht Eltern mit ihren Kindern paaren. Das geht hier im Süden recht schnell, da schon 7jährige Weibchen Eier ablegen. Männliche Tiere müssen wir schon nach drei

Jahren von den weiblichen Tieren trennen, da sie ständig aufsitzen.Durch die Abgabe an andere Züchter erhalten diese neues, frisches, junges Blut für weitere Aufzuchten.

2 Kinder einer „mageren" Mutter, zum Vergleich ein Kind von Chiara

Eiablage 1996

Erst Ende Mai, Anfang Juni liegen die ersten Eier in unserer Bruthilfe, die wir, egal bei welchem Wetter, nicht mehr missen möchten, da sie vielen Jungtieren das Leben rettet. Wir geben jedem Winzling eine Chance, stirbt er gleich nach dem Schlupf oder später, ist es die Natur selbst, die dies entscheidet.
Unsere Bruttemperatur liegt **normalerweise** bei 30–32 °C.

Diese Temperatur ist jedoch schwankend, da es in unserer Garage (Südseite mit 2 Fenster) bis zu 42 °C und mehr haben kann. Der Thermostat im Wasser schaltet sich automatisch ab und nur bei sinkender Temperatur um 30 °C wieder ein. Dieses hat zur Folge, daß bei uns meist weibliche Tiere das Licht der Welt erblicken.

Leider haben wir darüber noch keine Tabelle oder Statistik, da man bei Jungtieren, nach einem Jahr nicht mit 100 %iger Sicherheit das Geschlecht erkennen kann. Die Tendenz, bei einer Erdausbrütung hier in Italien, weibliche Tier zu erhalten, liegt in einem einigermaßen heißen Sommer bei 50:50.

Ein heißer Sommer bedeutet zum Beispiel für mehrere Wochen ständige Tagestemperaturen, die um 38 °C und darüber liegen. Selbst ein Absinken der Nachttemperatur auf bis zu 28 °C bringt für die Tiere keine Änderung. Diese Temperaturen können sich im Sommer über 4–8 Wochen erstrecken. In dieser Zeit fällt so gut wie kein Niederschlag, und an manchen Tagen fehlt auch der morgendliche Tau. Die Luftfeuchtigkeit kann jedoch vor und nach Gewittern bei 70 bis 90 % relativer Feuchte und darüber liegen.

Nach einem für unsere Begriffe langen Winter und einem kühlen, stürmischen, regnerischen Frühjahr, überlegen es sich unsere Damen recht lange mit der Eiablage. Noch länger und intensiver als in anderen Jahren, wird über mehrere Tage der Boden geprüft. Jedoch auch dieses Jahr wird von den meisten Tieren, der nun so sonnig und weich angelegte Legehügel nicht angenommen. Warum? Ist er vielleicht zu nackt? Wir wissen es nicht. Im kommenden Jahr wollen wir ihn, nach dem Rat eines deutschen Züchters jedoch mit Erdbeerstauden bepflanzen. Hier eine Tabelle unserer Muttertiere und deren Eiablage.

Name und Gewicht der Mutter, Datum der 1. Eiablage und Anzahl der abgelegten Eier:

Mutter +	Rasse	Gewicht	Datum 1. Eiablage	Anzahl Eier
Alma	*T.h.h.*	850	01. Juni	5
Berta	*T.h.b.*	1870		
Chiara	*T.h.b.*	1350	26. Mai	5
Mina	*T.g.i.*	1100		
Nera	*T.h.b.*	1360	18. Mai	5
Paulin	*T.h.h.*	870	??	4
Sardi	*T.h.h.*	860	01. Juni	2
Wilma	*T.h.b.*	1690	25. Mai	7
Zoppi	*T.h.h.*	760	01. Juni	3

Bis Ende Mai war es bei uns recht unbeständig, in den letzten Maitagen und in der ersten Woche im Juni stieg die Temperatur unerwartet rasch auf über 34 °C an. Auch unseren Tiere machte das wechselhafte Wetter zu schaffen. Manche gaben den Versuch des Eierlegens wieder auf. Die zweite Legung fand jedoch dann doch noch bei einigen Tieren nach 10 bis 15 Tagen statt.

Unsere 2. Eiablage:

Mutter +	Rasse	Gewicht	Datum 1. Eiablage	Anzahl Eier
Alma	*T.h.h.*	850	16. Juni 3	
Berta	*T.h.b.*	1870	12. Juni	3
Chiara	*T.h.b.*	1350	10. Juni 3	
Mina	*T.g.i.*	1100	12. Juni 3	
Nera	*T.h.b.*	1360	05. Juni 5	
Paulin	*T.h.h.*	870	NF.	
Sardi	*T.h.h.*	860	21. Juni 4	
Wilma	*T.h.b.*	1690	25. Mai	8
Zoppi	*T.h.h.*	760	17. Juni 3	

(NF. = nicht gefunden)

Manche Tiere gaben nach der Hitzewelle das Eierlegen für das Jahr 1996 völlig auf. Manche haben ihre Eier entweder so früh am Morgen abgelegt, daß wir es nicht bemerkt haben oder abends nach Einbruch der Dunkelheit. Vielleicht hält dies nun der eine oder andere Züchter für Jägerlatein, wir haben jedoch in einem Gehege erlebt, daß ab 19.40 Uhr gegraben und die Eier nach einigen Pausen gegen 22.10 Uhr bei völliger Dunkelheit zugedeckt wurden! Einige Eier wurden danach in unserer Bruthilfe erfolgreich ausgebrütet.

Dazu muß man wissen, daß es in diesem Gehege mehr geschlechtsreife Männchen als Weibchen gibt. Diese weiblichen Tiere können wenig fressen, da sie laufend, auch während der Eiablage, gestört, das heißt in die Vorderbeine oder den Kopf gebissen werden. Bei einer Eiablage beobachten wir, wie zwei Weibchen gleichzeitig, fast an derselben Stelle ihre Eier ablegen wollen, jede jedoch der andern beim Ausheben der Eiergrube diese wieder mir Erde und Sand füllt. Da die Tiere bei der Eiablage durch männliche Tiere gestört sind, die nicht selten die Weibchen aus der schon fertigen Grube drücken, dabei auch schon abgelegte Eier beschädigt haben, wird mit der Eiablage bis in die Dunkelheit gewartet. Ebensooft werden die Mütter durch ihre halbwüchsigen Jungtiere, die neugierig und Futter suchend im Gehege umher laufen und dabei auch in die Eigrube sehen, gestreßt.

Wir haben gegen alle Erwartung noch eine 3. Eiablage von einigen Tieren erhalten.

Mutter +	Rasse	Gewicht	Datum 1. Eiablage	Anzahl Eier
Alma	*T.h.h.*	850	22. Juni	2
Berta	*T.h.b.*	1870		
Chiara	*T.h.b.*	1350	28. Juni	5
Mina	*T.g.i.*	1100		
Nera	*T.h.b.*	1360	23. Juni	4
Paulin	*T.h.h.*	870	19. Juni	3
Sardi	*T.h.h.*	860	28. Juni	4
Wilma	*T.h.b.*	1690	06. August	1
Zoppi	*T.h.h.*	760	25. Juni	2

Wir haben nach der 3. Legung 83 Eier in unserer Bruthilfe. Die Zeitigungsdauer (Brutzeit) ist unterschiedlich. Wir stellen fest, daß *Testudo hermanni boettgeri* schon nach teilweise 53 bis 55 Tagen schlüpfen, *Testudo hermanni hermanni* dagegen erst nach 55 bis 60 Tagen.

Wir nehmen, da noch Platz vorhanden ist, von einem Bekannten in einer separaten Plastikschale die Eier seiner Schildkröten auf. Die Tiere entsprechen in etwa der Größe von Chiara und Nera, legen jedoch sehr kleine, dafür aber mehr Eier. Die Eier stammen aus einer Kreuzung zwischen *Testudo hermanni boettgeri* und *Testudo hermanni hermanni*. Einige der Eier sind oval wie die von unseren *Testudo hermanni boettgeri*-Tieren, die andern haben die lange ovale Form der *Testudo hermanni hermanni*-Eier. Nach dem Schlupf sehen auch hier einige Tiere wie *Testudo hermanni boettgeri* aus, die anderen wie *Testudo hermanni hermanni*. Wieder bemerke ich, daß die Rückenschilder nicht völlig entwickelt sind oder der Rückenpanzer nicht wie bei unseren Tieren hoch gewölbt ist, sondern sehr flach abfällt.

Unsere *Testudo hermanni boettgeri* Wilma aus Albanien und die *Testudo hermanni boettgeri* Chiara, sind ja nun jedem bekannt. Wilma ist noch nicht so lange bei uns, nun jedoch das größte weibliche Tier im Gehege, was jedoch nicht heißt, daß sie deshalb auch die größten Eier ablegt.

Wilma hat, wie wir nach dem Erhalt feststellen, für ihre Größe ein starkes Untergewicht, im Sommer 1995 wiegt sie nur 1.490 Gramm, die Mangelerscheinungen sieht man ihr nicht an. Sie hat jedoch vom Sommer bis zum Herbst ihr Gewicht noch vor dem Winterschlaf auf 1.669 Gramm erhöht, also in relativ kurzer Zeit einiges zugenommen. Wie wir jedoch erst später (Eiablage) feststellen, hat ihr die ungewollte Hungerkur (ihr Halter war krank) mehr zugesetzt als wir dachten.

Sie beginnt nach dem Winterschlaf, nicht wählerisch, als erste alles zu fressen, auch das Gras, das von keinem unserer Tiere je gefressen wurde. Sie hat über den langen Winter nur 33 Gramm abgenommen, wiegt jetzt im Frühjahr 1.636 Gramm, nimmt aber schnell zu. Im Mai versucht sie 19 mal den richtigen Platz für ihre Eiablage zu finden. Zuerst dachten wir, daß sie ihren alten schattigen Legeplatz vermißt, da uns der Halter erklärte, daß Wilma von der ersten Eiablage an, immer dieselben Stellen zur Ablage aufgesucht hat.

Die Reaktion auf einen Wechsel in ein neues unbekanntes Gehege kann mitunter bei weiblichen Tiere so kraß sein, daß sie ein Jahr keine Eier ablegen.

Am 25. Mai klappt es endlich, Wilma legt bei einer Tagestemperatur von 28 °C im Schatten zwischen 10. 15 und 11.45 Uhr 8 Eier auf dem Legehügel ab. Die Eier sind sehr klein. Die Eier werden in der Bruthilfe bei einer schwankenden Temperatur von 30 °C bis 33 °C und einer hohen Luftfeuchtigkeit wie alle unsere Eier ausgebrütet.

1995 haben wir die Eier von Wilma beim damaligen Besitzer abgeholt und bei uns in die Bruthilfe gelegt, diese hatten die gleiche Größe, waren jedoch zum Teil schon abgestorben. Damals sagten wir uns, daß es wegen des schlechten Wetters war und sie zudem in der Erde an einem Schattenplatz lagen. Einen Tag nach Wilma legt Chiara 5 Eier ab, sie ist jedoch schon seit 1991 bei uns. Diese Eier sind groß und rund. Wir berechnen eine Brutzeit von 55–60 Tagen.

Schildkrötenbaby beim Schlupf

Überpünktlich, am 19. Juli 1996, öffnen 3 Tiere ihr Ei. Zwei weitere öffnen einen Tag später. Am 20.07.1996 schlüpfen zwischen 7 und 12 Uhr 2 Tiere von Chiara mit je 13 Gramm, es folgt ein weiteres Tier mit 13 Gramm gegen 15 Uhr. Die verbleibenden zwei schlüpfen am 21. Juli 1996 mit 14 bzw. 13 Gramm. Das Jungtier mit 14 Gramm hat eine Carapaxanomalie, die Schilder auf dem Rücken sind in Dreiecke geteilt, es ist jedoch das stärkste und gefräßigste Tier und nimmt am schnellsten zu. Dies Tier, es ist ja besonders gut zu erkennen, wiegt am 5. August 1996, nach nur 15 Tagen Freiland, 24 Gramm. Die 8 Eier von Wilma sind schon 5 Tage über die Zeit, es geschieht nichts! Wir öffnen die Eier. Sechs der Eier stinken. In 2 Eiern ist das jeweilige Embryo zwar entwickelt, so daß man ein Jungtier erkennen kann, diese sind jedoch abgestorben, noch bevor die Entwicklung beendet war. Und wieder wird uns bestätigt: Hat die Mutter nichts zu fressen, schlüpft kein gesundes kräftiges Tier! Oder wie in unserem Fall hier: nichts!

Wilma legt am 10. Juni nach mehreren Versuchen wieder 7 Minieier ab. Unsere Bruthilfe, wir haben in der Zwischenzeit zwei, dank lieber Freunde, bestehen dieses Jahr aus 2 Fischaquarien. Auf einem Gitterrost stehen 3 Plastikschalen, die circa 2 cm hoch mit Sand gefüllt sind. Die Schalen sind so hoch, daß kein Tier nach dem Schlupf ins Wasser fallen und ertrinken kann.

Das Ganze ist wieder mit einer leicht schräg aufliegenden Styroporplatte abgedeckt, damit eine mäßige Luftzirkulation entsteht und so das anfallende Schwitzwasser nicht auf die Eier tropft. Täglich werden Wasserstand und Temperatur kontrolliert, diese Kontrolle reicht aus um eine Frischluftzufuhr zu gewährleisten. Nur wenige Tage vor dem errechneten Schlupf (nach circa. 50 Tagen) lege ich die Eier in einen kleinen Behälter, der jedoch in der Bruthilfe bleibt. Nun besprühe ich leicht, mit temperiertem

Wasser, nur diese Eier, aus denen in den nächsten Tagen etwas schlüpfen sollte. Mit diesem Besprühen simuliere ich den Regen in der Natur. Diese Eier kontrolliere ich nun 2 x täglich in dem ich, ohne diese in die Hand zu nehmen oder zu drehen, zart mit dem Finger um die Schale streiche. Beginnt ein Jungtier an einer Stelle zu öffnen, spürt man dieses, da das Ei an der Stelle eine kleine Beule hat oder schon ein Stück der Schale ausgebrochen ist. Dauert das weitere Öffnen mehr als 10 Stunden, nehme ich das Ei, ohne es zu drehen, heraus und öffne es an der Beule ein wenig, dann setze ich es wieder zurück. Diese Hilfe ist meist nur bei schwachen Jungtieren nötig.

Das Jungtier wird das Ei erst verlassen, wenn es seinen Dottersack völlig resorbiert hat. Es ist falsch, das Tier herauszunehmen.

Manche Jungtiere sitzen bis zu 3 Tagen im geöffneten Ei. Das Tier braucht lediglich Luft; ist es stark genug, macht es sich selbst Platz. Oft ist ein Tier zu schwach, so daß es ohne menschliche Hilfe den Rest des Eis nicht aufsprengen kann. Das Risiko, daß frisch geschlüpfte Tiere andere Eier drehen, schalte ich völlig aus in dem ich einen Schlüpfbehälter verwende.

Dieses ist eine kleine Plastikschale, in die ich etwas Sand gebe und die an einen freien Platz in der Bruthilfe gestellt wird. 5 Tage vor dem errechneten Schlupfdatum werden die anfallenden Eier dorthin überführt. So kann ich sie mit meinem Bestäuber anfeuchten. Am 1. August lege ich die 3 Eier von Chiara dort hinein. Wir haben ja den 5. August als Geburtstag der Kleinen errechnet. Am 3. August sitzt morgens ein Jungtier mit 14 Gramm in der Schüssel, einen Tag später am 4. August, ein Tier mit 13 Gramm und am 5. August eines mit 15 Gramm. Eigentlich müßte nun auch etwas aus Wilmas Minieiern schlüpfen. Sie hat am selben Tag wie Chiara 7 Eier abgelegt.

Aus diesen Eiern schlüpft, mit 10 Gramm, am 6. 8. ein Jungtier. Ein weiteres Jungtier mit 9 Gramm und einer Hasenscharte schlüpft am 11. August. Nachdem ich ein weiteres Ei am 15. 8. seitlich leicht geöffnet habe, stelle ich fest, daß das Jungtier lebt, also lasse ich es im Ei sitzen, bis es diesem von selbst entsteigt. Dieses geschieht jedoch erst am 18. August. Das Tier ist am Rückenpanzer sehr flach und hat mehr Schilder auf dem Rücken als normal, eine Hasenscharte wie sein kleiner Bruder und wiegt 9 Gramm, ob diese 3 Minis jedoch lebensfähig sind?

Hier noch eine Statistik über die abgelegten Eier der Mutter in 2–3 Legungen, wieviele Kinder geschlüpft sind, tot im Ei oder nicht befruchtet waren:

Mutter +	Rasse	Gewicht Gramm	Anz. Eier	Lebend	Gewicht Gramm	tot imEi	unbefruchtet
Alma	*T.h.h*	850	10	8	12–14	2	
Berta	*T.h.b.*	1870	3	0		3	
Chiara	*T.h.b.*	1350	13	13	13–16		
Mina	*T.g.i.*	1100	3	3			3
Nera	*T.h.b.*	1360	14	14	13–16		
Paulin	*T.h.h.*	870	7	7	12–14		
Sardi	*T.h.h.*	860	10	10	12–14	1	
Wilma	*T.h.b.*	1690	16	3	9–11	2	11
Zoppi	*T.h.h.*	760	8	6	9–12		2

Am 6. August bin ich wie immer morgens schon früh bei den Tieren. Mir fällt auf, daß Wilma seit zwei Tagen nicht aus der Hütte kommt und wenn, dann nur kurz. Sie frißt nicht, ganz gegen ihre Art.

Ich schenke nun dem Tier mehr Beachtung. An diesem Morgen sind alle weiblichen Tiere schon in der Sonne oder am Futter, nur eine fehlt, Wilma. Als ich den Deckel der Hütte hoch halte, glaube ich mich trifft der Schlag. Wilma sitzt in der Ecke. Mitten in der Hütte liegt jedoch ein fast Hühnerei großes Ei, daneben ein großer frischer Kotberg.

Sofort nehme ich Wilma hoch, sie hat die Kloake noch mit frischem Kot verschmiert, jedoch sonst keinerlei krankhafte Anzeichen. Schnell hole ich den Eierkorb und die Waage, diese Superei wiegt im Gegensatz zu Wilmas Minieiern 36 Gramm! In Windeseile bringe ich das Ei in die Bruthilfe. Nach meiner Rechnung müßte wenn überhaupt am 3. Oktober aus diesem Ei etwas schlüpfen. Das Ei war unbefruchtet wie wir nach kurzer Zeit feststellen. Noch eh die Forstbeamten zur „Geburtsaufnahme“ kommen, sitzen die drei sehr schwachen Jungtiere von Wilma tot im Gehege.

Wir melden für das Jahr 1996 nur 57 Neuzuchten, wir haben eigentlich mit 70 bis 80 gerechnet.

Wir unterhalten uns mit anderen Züchtern aus Europa, und es stellt sich heraus, daß es vielen Züchtern so erging, daß die Tiere tot im Ei saßen.

Alle Tiere wurden unter denselben Bedingungen wie Futter, Wärme, Baden gehalten. Für uns ist es ein Rätsel, warum die Pflegekinder bei denselben Bedingungen nicht so zunehmen wie unsere eigenen, wobei gerade Mischlinge besonders schnell wachsen. Auch wir stehen immer wieder vor einem großen Fragezeichen.

Eine *Testudo marginata* gibt uns neue Rätsel auf.

Im September 1996 erhalten wir zur Erholung ein großes 2.200 Gramm schweres *Marginata*-Weibchen, das noch vor dem Winterschlaf ihr Gewicht auf 3.000 Gramm bringt. Ihr Carapax ist von den Rammstößen die ihr zwei adulte *Testudo graeca ibera*-Männ-

Hier eine kleine Statistik vom Winter 1996 darunter 2 Pflegekinder die von Müttern mit Untergewicht stammen:

Alle Jungtiere sind im Juli 1996 geboren

Name:	Geburtsgewicht 07. 96	Gewicht 12. 96
Pflegekind 1 *T.h.h. + h.b.*	08 Gramm	17 Gramm
Pflegekind 2 *T.h.h. + h b.*	09 Gramm	20 Gramm
Jungtier von Alma *T.h h.*	09 Gramm	40 Gramm
Jungtier von Chiara *T.h.b.*	14 Gramm	58 Gramm
Jungtier von Nera *T.h.b.*	13 Gramm	60 Gramm
Jungtier von Zoppi *T.h.h.*	09 Gramm	37 Gramm

chen beigebracht haben sehr ramponiert. Bis Ende November sitzt das Tier in der Sonne, es beschert uns, da wir noch keine Erfahrung mit *Testudo marginata* haben, neues Rätselraten. Wir sind gewöhnt, daß unsere Tiere schon Wochen vor dem Winterschlaf nichts oder nur sehr wenig fressen. Dieses Tier frißt jedoch jeden Tag ein ordentliches Stück von dem im Gehege eingesäten Ackersalat, Rucola, Löwenzahn bis auf die Wurzeln. Dieses Futter war als Wintervorrat, für die Jungtiere gedacht im Hausterrarium. Frißt noch bis Sonnenuntergang und zieht sich dann zum Winterschlaf in die Hütte zurück! Wir lesen immer wieder, daß die Tiere „entleert" in den Winterschlaf gehen sollen? Unsere Tiere regeln das selbst und wie ist das bei *Marginatas*? Wir sind etwas verunsichert, da es nicht unser Tier ist. Unser Bangen hat Ende Februar 1997 ein Ende.

Nach einem feuchten Sommer und Herbst 1996, nach Schnee und Frost im Januar 1997, ist es Ende Januar trocken und sonnig, der Februar bringt schon frühlingshafte Temperaturen mit 15 bis

18 °C, und in den Hütten beginnen sich nicht nur *Testudo graeca graeca* und *Testudo graeca ibera* auszugraben, noch vor Ostern (Ende März 1997) verlassen auch *Testudo hermanni hermanni* und *Testudo boettgeri* ihre Hütten. Die „vollgefressene“ *Testudo Marginata* hat schon am 20. Februar 1997 ihren Winterschlaf beendet und sitzt in der Sonne. Nach einer Aufwärmphase, von 11 Uhr bis 14 Uhr beginnt sie zu fressen! Zuerst Löwenzahn dann Klee und danach den angeboten Feldsalat, stellt sich noch eine Weile schräg an die Mauer zum Sonnen und verschwindet für die Nacht in der Hütte unter dem Laubberg!

Nachwort

Wir danken jedem Tierfreund, der aus Einsicht, Klugheit und Vernunft Tiere denjenigen Menschen überläßt, die ihre Freizeit für diese opfern und ihnen viel Zeit und Liebe widmen.

Wir freuen uns jedoch über jeden, der den Tierschutz zu seinem Hobby macht. Wir danken diesen Menschen, auch im Sinne unserer Tiere: Alma, Chiara, Berta, Wilma, Paulin, Nera, Timida, Zoppa (genannt Zoppi), Sardi, Mina, Rambo, Fido, Fede, Peter, Paul, Fritz und Rudi, Dick und Doof (Bastis), sowie Hänsel und Gretel (*Testudo marginata*) und alle Minischildis die das Licht der Welt in unserem Gehege erblickt haben, und vor allem die, die es in der Zukunft schaffen werden, mit unserer Hilfe die ersten Schritte in einem liebevoll gepflegten Gehege zu machen.

Wer sich nach unseren Zeilen stark genug fühlt, Landschildkröten **richtig** zu halten und vor allem zu züchten, um weitere Entnahmen aus der Natur zu verhindern, dem wünschen wir viel Freude, Spaß und Erfolg bei der Haltung und Aufzucht.

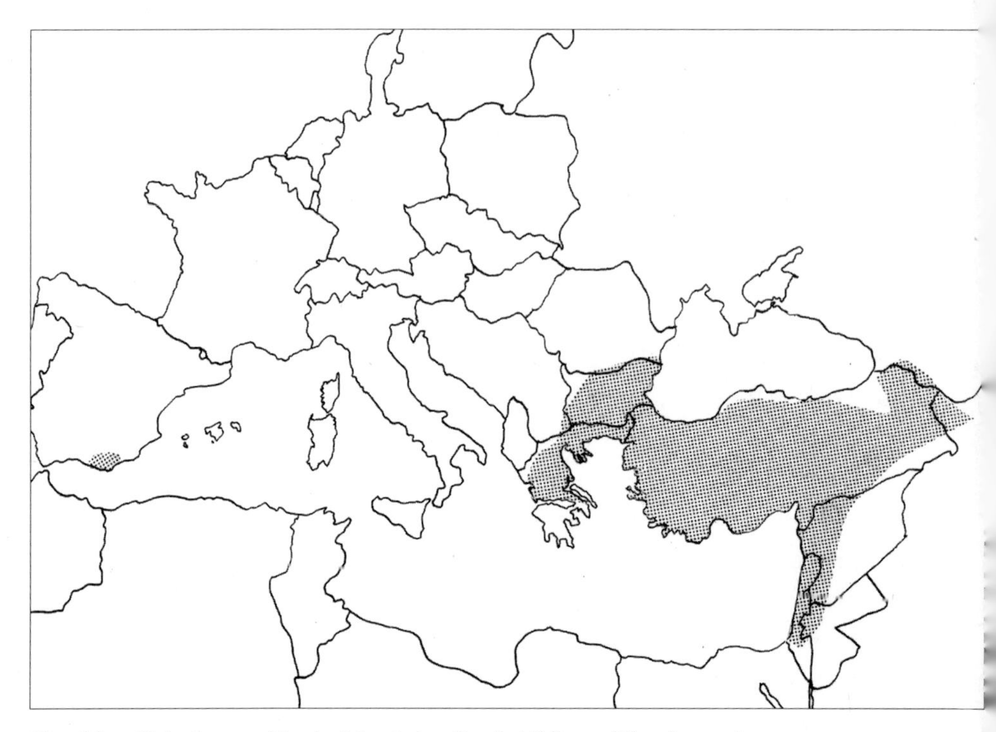

Ungefähres Verbreitungsgebiet der Maurischen Landschildkröte (*Testudo graeca*)

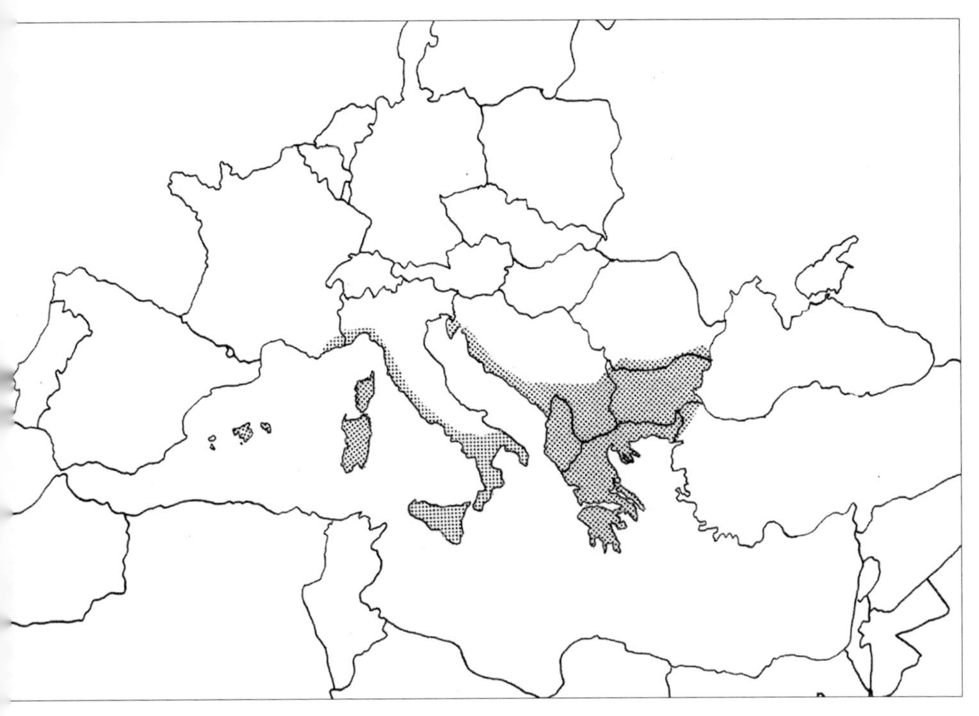

Ungefähres Verbreitungsgebiet der Griechischen Landschildkröte (*Testudo hermanni*)

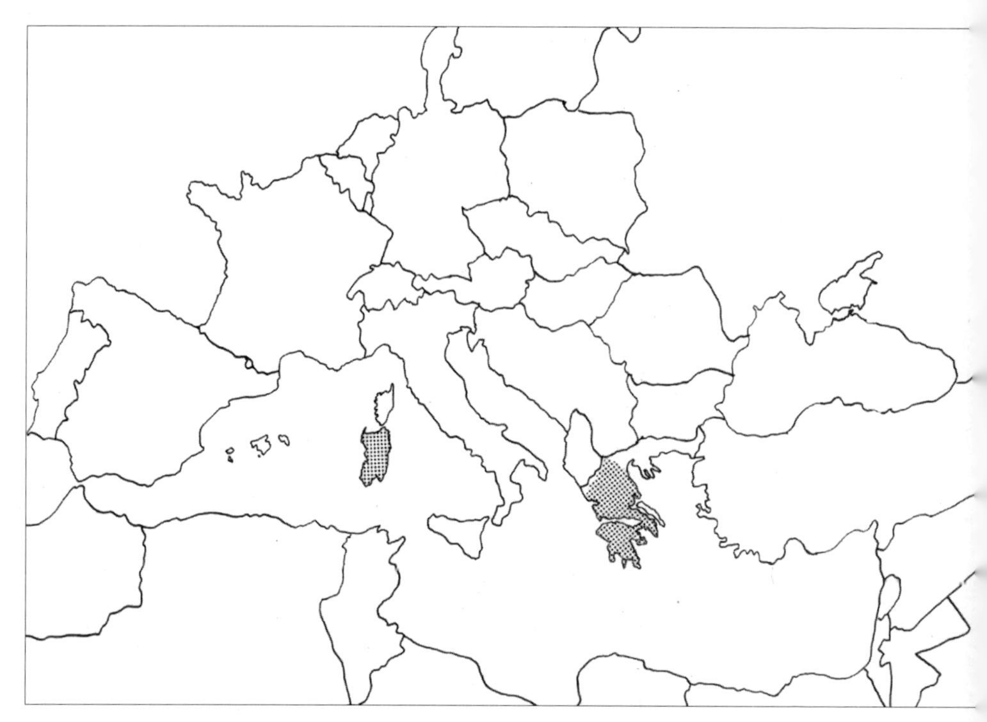

Ungefähres Verbreitungsgebiet der Breitrandschildkröte (*Testudo marginata*)

Glossar

Plastron = Bauchteil der Schildkröte
Gelege = Eier die von der Schildkröte abgelegt werden
Kopulation = Paarung der Schildkröten
Aufsitzen = Paarungsversuch der Schildkröten
Adult = erwachsen oder geschlechtsreif
Semiadult = nicht mehr klein aber auch noch nicht geschlechtsreif.
T. h. h. = Testudo hermanni hermanni
T. h. b. = Testudo hermanni boettgeri
T. g. i. = Testudo graeca ibera
T. m. = Testudo marginata
m = Männlich
w = Weiblich

Literaturhinweise

WILKE, H.: **Schildkröten richtig pflegen und verstehen**, München, 6. Auflage 1994.
Unser Retter zu Beginn unserer Schildkröten Laufbahn!

KIRSCHE, W.: **Die Landschildkröten Europas**, Melle 1997
Über 60 Jahre Erfahrung in Haltung und Zucht werden wir wohl nicht erreichen.

MAYER, R.: **Europäische Landschildkröten**, Kempten 1996
In seinem Buch haben wir die ersten „Jungtierherden" gesehen.

EGGENSCHWILLER-LEU, U.: **Die Landschildkröten in der Tierärztlichen Praxis**, Siblingen 1996
Endlich gibt es einige Tierärzte, die sich mit unseren Lieblingen beschäftigen, und hier findet man praktische Ratschläge.

Hier noch, wie versprochen, die Adresse der DGHT:

DGHT
Deutsche Gesellschaft für
Herpetologie und Terrarienkunde e. V.
Postfach 14 21
D-53351 Rheinbach